MÃE DE PRIMEIRA VIAGEM

KEVIN LEMAN

MÃE DE PRIMEIRA VIAGEM

COMO LIDAR COM OS DESAFIOS DA MATERNIDADE —
DO NASCIMENTO AO PRIMEIRO ANO DA PRÉ-ESCOLA

Traduzido por EMIRSON JUSTINO

Copyright © 2003 por Kevin Leman
Publicado originalmente por Tyndale House Publishers, Inc., Wheaton, Illinois, EUA.

Todos os direitos reservados e protegidos pela Lei n° 9.610, de 19/02/1998.

É expressamente proibida a reprodução total ou parcial deste livro, por quaisquer meios (eletrônicos, mecânicos, fotográficos, gravação e outros), sem prévia autorização, por escrito, da editora.

Dados Internacionais de Catalogação na Publicação (CIP)
(Câmara Brasileira do Livro, SP, Brasil)

Leman, Kevin

Mãe de primeira viagem: como lidar com os desafios da maternidade — do nascimento ao primeiro ano da pré-escola / Kevin Leman; traduzido por Emirson Justino. — São Paulo: Mundo Cristão, 2013.

Título original: First-Time Mom
ISBN 978-85-7325-890-5

1. Crianças — Criação 2. Maternidade 3. Responsabilidade dos pais I. Título.

13-03040   CDD-649.1

Índice para catálogo sistemático:
1. Crianças : Criação : Vida familiar   649.1
Categoria: Autoajuda

Publicado no Brasil com todos os direitos reservados por:
Editora Mundo Cristão
Rua Antônio Carlos Tacconi, 69, São Paulo, SP, Brasil — CEP 04810-020
Telefone: (11) 2127-4147
www.mundocristao.com.br

1ª edição: maio de 2013
4ª reimpressão (sob sistema digital): 2020

Para Conner.

**Você tem uma ótima mãe...
E um ótimo pai também!**

Sumário

Agradecimentos — 9
Introdução: A aventura de toda uma vida — 13

Capítulo 1:
Bem-vinda ao lar — 17

Capítulo 2:
Os primeiros dez dias — 27

Capítulo 3:
Os três grandes: alimentação, sono e choro — 47

Capítulo 4:
O primeiro ano — 61

Capítulo 5:
Os dez erros mais comuns dos pais de primeira viagem — 71

Capítulo 6:
Trabalhar fora de casa ou não? — 95

Capítulo 7:
O cuidado com seu "outro filho" — 113

Capítulo 8:
Lá vem o primogênito — o impacto da ordem de nascimento — 123

Capítulo 9:
   Quando seu filho começa a andar   135
Capítulo 10:
   Cartas na manga   153
Capítulo 11:
   É hora de falar sobre sexualidade   167
Capítulo 12:
   Há um extraterrestre a caminho de casa   177

Epílogo: Não há nada melhor que ser amado   191
Apêndice A: Brincadeiras para entreter o bebê   195
Apêndice B: Os dez mandamentos da criança para seus pais 199
Notas   201
Bibliografia   203

Agradecimentos

À mais competente, animadora e maravilhosamente capacitada editora que alguém poderia querer: Ramona Tucker.

Ramona, o pessoal da Tyndale precisa pagar seu salário em barras de ouro. Você merece. Obrigado por toda a sua ajuda.

"Nasci com bem pouca idade."

Dr. Leman

"Os bebês são uma excelente maneira de começar pessoas."

Don Herold

INTRODUÇÃO

A aventura de toda uma vida

BEM-VINDA À AVENTURA DE UMA VIDA!

Se você for como a maioria das mães de primeira viagem, provavelmente ficou um pouco atordoada ao descobrir que será mãe. Você pode estar grávida, prestes a ter um bebê, ou já deu à luz há pouco tempo. Você também pode estar passando pelo processo de escolha de uma criança por meio de um programa nacional ou internacional de adoção. Ou pode ter trazido recentemente uma criança para casa. Pode ser casada ou solteira. Não importa como você experimentou a maternidade: sendo mãe de primeira viagem, você tem muitas perguntas, sem falar nestas principais:

- Como posso ser a melhor mãe para esta criança?
- Meu filho será como eu em algum aspecto? Em personalidade, talentos ou aparência?
- Devo colocá-lo numa rotina de sono e alimentação ou deixo as coisas andarem sozinhas?
- Como posso saber se ele está recebendo o que precisa para crescer saudável?
- Como garantir que terei um vínculo com esta criança — por toda a vida?
- Como conseguir que meu filho pare de chorar tanto? Estou fazendo alguma coisa errada?

- De que maneira ele vai passar pela "terrível" fase de um a três anos de idade? Já estou começando a suar.
- Como lidar com a disciplina? Há algum problema em bater? A partir de que idade as crianças entendem a disciplina?
- Devemos ter apenas um filho — ou mais?

E esse é apenas o começo de suas dúvidas. Você provavelmente conseguiria preencher outra página inteira com suas próprias perguntas adicionais. Não é de admirar! Tornar-se mãe é uma imensa transição na vida — uma mudança cheia de surpresas, alegrias, ansiedades, sacrifícios e também enormes recompensas.

Uma das razões pelas quais decidi escrever este livro é ajudar as mães de primeira viagem como você a entender que essa coisa chamada "ser mãe" é um pouco mais fácil do que se possa imaginar. Por milhares de anos, pais criaram primogênitos sem que qualquer livro, seminário, programa de rádio ou especial de televisão lhes dissesse o que fazer; então, descanse. Você não será perfeita, e seu filho também não. Juntos, porém, vocês se ajustarão até se tornarem uma família e darão muitas risadas no meio do caminho.

Este livro levará você e seu filho do começo da infância até o primeiro ano da pré-escola (outro momento de transição, no qual a criança estará longe de você durante uma parte significativa do dia). Vai ajudá-la a saber o que esperar quando levar seu filho da maternidade para casa e no que se concentrar durante os primeiros dez dias (quando você e seu filho são "novos" um para o outro); também vai ajudá-la a relaxar à medida que entende que "os três grandes" (alimentação, sono e choro) aspectos das necessidades do seu filho não são tão complicados quanto você possa imaginar. Depois, iniciaremos a jornada do primeiro ano, quando falaremos sobre os dez erros mais comuns dos pais de primeira viagem. (Não se preocupe: não vamos atormentá-la. Toda mãe do planeta comete muitos desses mesmos erros. Mas você pode ser esperta. Ter consciência dos erros é a sua melhor ferramenta para construir um ambiente saudável no qual seu filho possa crescer.)

Também trataremos da questão do trabalho. Para aquelas que já possuem uma carreira e estão habituadas a trabalhar fora de casa, apresentaremos alguns pontos a serem considerados na decisão sobre voltar a trabalhar fora ou trabalhar em casa (além de cuidar de seu filho, que já é um trabalho de vinte e quatro horas por dia, sete dias por semana). Percebo que, para algumas mães, especialmente as solteiras, pode não haver a possibilidade de escolher entre trabalhar ou não. Para conseguir sustentar a família, será preciso trabalhar. Deixe-me assegurá-la de uma coisa: o conteúdo deste capítulo não tem o propósito de induzir culpa, mas de fornecer informações práticas que a ajudem a tomar uma decisão consciente, que seja a melhor para você e sua família a longo prazo.

Se você é casada, achará útil o capítulo 7, "O cuidado com seu 'outro filho'". Não, não estamos criticando os homens (afinal de contas, eu sou um deles), mas o homem da sua vida pode estar passando por uma transição maior do que você imagina ao tornar-se pai. Também mostrarei como suas características enquanto primogênita, filha do meio ou caçula afetam seu estilo de criação de filhos, e também o de seu marido.

Depois, conforme seu filho cresce, vamos mergulhar no período de 1 a 3 anos e compartilhar o segredo das "Cartas na manga". Está em dúvida sobre o melhor momento de falar sobre sexo com seu filho? Você pode fazer isso bem mais cedo do que imagina e ainda agir bem de acordo com a idade (veja o capítulo 11, "É hora de falar sobre sexualidade"). Abordaremos ainda outras questões que você provavelmente terá no meio do caminho: "Devo ter outro filho? Em caso afirmativo, vou amar essa criança da mesma forma que amo meu primogênito? E como meu primogênito vai lidar com um irmão?".

Você tem a obrigação — para consigo e para com seu filho — de descobrir tudo quanto puder sobre este novo papel de mãe, além de entender como são os bebês. Portanto, vá em frente — mergulhe de cabeça!

CAPÍTULO 1

Bem-vinda ao lar

Que bom. Você conseguiu.

Você é mãe! É possível que isso tenha acontecido por meio do parto. Talvez tenha ocorrido através da adoção. Mas a agonia de esperar durante o trabalho de parto ou os meses de burocracia finalmente culminou no encontro face a face com seu tesouro especial. E agora você está levando essa criança maravilhosa e incrível para casa!

Todo tipo de emoção transborda de você — uma mistura de alegria, admiração e, se você for esperta, muito provavelmente um pouco de medo saudável também. Você pensa: "Que tipo de mãe eu serei? Como será esta criança?".

Se você deu à luz esse filho, provavelmente passou por algum curso de técnicas preparatórias para o parto. Aprendeu a respirar em diferentes padrões durante aquelas aulas noturnas nos dias de semana, e, nos sábados e domingos, fez compras em lojas de produtos para bebês, escolheu o berço, o trocador de fraldas e as roupinhas. Você folheou diversos livros para encontrar o nome perfeito, a fim de garantir que nenhum filho seu viesse a ter um nome estranho.

Você sofreu durante meses com cansaço, insônia e noites aparentemente eternas. Pode ter gostado das calorias extras que pôde ingerir, mas dispensaria o mal-estar, o enjoo, a dor nas costas e os tornozelos inchados.

Quando o dia finalmente chegou, havia cinco pessoas numa pequena sala, todas lhe dizendo o que fazer. Elas pareciam seguras de si e, para ser justo, tinham a intenção de apoiá-la. Mas não levou muito tempo para que você percebesse que era a única naquela sala que sentia dores bem reais.

Antes de receber a anestesia, você agarrou a cama, cerrou os punhos, pensou em palavras nas quais jamais achou que pensaria, e tudo o que faziam por você era dizer que inspirasse, expirasse e empurrasse — sim, eu sei que você estava empurrando o máximo que podia. (Também sei que você quis socar umas três ou quatro pessoas daquela sala.)

Mas, quando aquele pequeno presente de Deus abriu caminho pelo canal do parto e, de repente, deixou sua cabeça aparecer, seguida por aqueles pequenos ombros que passaram por seu corpo, você finalmente ouviu o choro encantador de seu recém-nascido. O médico perguntou a seu marido se ele gostaria de cortar o cordão umbilical. Um rápido olhar para a expressão de náusea de seu marido deu a você a certeza de que ele não estava em condições de fazer nada.

E, quando aquela criança de 50 centímetros foi colocada sobre seu seio, você enterrou o queixo no peito para conseguir ver, o melhor possível, esse novo milagre, dizendo a si mesma: "Ele é tão lindo. Não acredito que é meu".

Ou talvez você tenha se tornado mãe por meio da adoção. Você passou meses ou anos até pesquisando para chegar às pessoas certas que poderiam ajudá-la a encontrar seu "filho do coração". Conversou com diversas instituições e advogados — angustiada pelo desejo de tornar-se mãe e perguntando a si mesma *se* você teria a experiência da maternidade —, investigou possibilidades locais e internacionais e, esperançosa, debruçou-se sobre uma montanha de papéis que a deixou completamente atordoada. Se foi necessário viajar para o exterior, você também teve de fazer exames médicos — e levou mais picadas dolorosas do que gostaria de se lembrar.

Então, toda aquela atividade frenética cessou, e a verdadeira espera teve início. Embora não estivesse grávida fisicamente, você estava *emocionalmente* grávida — esperando de meses a anos, com ansiedade, por seu filho. Talvez você tenha se sentado numa cadeira de balanço, tricotando uma manta infantil; talvez tenha sonhado ao folhear as páginas de um livro de nomes para bebês. É possível que tenha se mantido distante, preocupada em não deixar que seu coração fosse partido caso não conseguisse um filho. Então, você recebeu "a ligação", ou "aquela primeira doce imagem". E se apaixonou por aquela criança no primeiro instante. Seu mundo começou a girar alucinadamente. Você fez o que não ousara fazer até então: comprou um berço, decorou o quarto do bebê, encheu uma bolsa com fraldas, cremes e todas aquelas coisas essenciais.

Quando viu o rosto de seu filho pela primeira vez, você contemplou a concretização de anos de esperança, a alegria depois da dor da infertilidade ou da gravidez interrompida por um aborto espontâneo. Seu deslumbramento por segurar aquela criança misturou-se a uma pontada de dor — você sabia do sacrifício por que passara outra pessoa para que esse filho fosse trazido a sua vida. Ao se dirigir para casa, você jurou que seria definitivamente a melhor mãe que pudesse ser para essa criança realmente especial.

Assim, quer tenha surgido pelo parto, quer tenha sido escolhido por meio da adoção, seu primogênito veio à vida com uma entrada triunfal. Agora, a pergunta é: o que você vai fazer com ele?

O QUE FOI QUE FIZEMOS?

Lembre-se: não foi uma criança qualquer que você trouxe para casa. Ela é o seu primogênito. Não estou dizendo que os próximos filhos de sua família serão "mamão com açúcar", mas os primogênitos são seres especiais (e, afinal de contas, são o assunto deste livro!). Ao olhar para seu pequeno pacote de pezinhos e dedinhos aninhado no fundo daquele cobertor, talvez você não acredite, mas ali está alguém de personalidade forte e marcante.

Os primogênitos têm uma queda pela excelência. Você já conhece muitos deles. Já os viu no cinema ou na televisão: Sharon Stone, Michelle Pfeiffer, Nicole Kidman, Sandra Bullock, Harrison Ford, Oprah Winfrey, Bill Cosby. Todos primogênitos. Já leu sobre eles nos livros de história americana: George Washington, Jimmy Carter, Harry Truman, Bill Clinton, George W. Bush e um monte de outros presidentes norte-americanos. Já os viu bem-sucedidos nos negócios (parece que praticamente todo alto executivo é primogênito) e provavelmente já leu alguns de seus livros — como os do psicólogo dr. James Dobson (na verdade, como ele é filho único, vamos chamá-lo de superprimogênito!), do pastor dr. D. James Kennedy e de William Shakespeare, para citar apenas alguns.

Os primogênitos são os generais do nosso mundo. Em geral exigente, afeito a regras e conservador, seu primogênito provavelmente será o filho mais leal, caso você tenha mais de um. As chances de ele se tornar astronauta, engenheiro ou auditor são mais altas do que se possa imaginar.

Apesar de seus melhores esforços, essa criança terá mais atenção individual de sua parte do que qualquer outra que possa se juntar à família com o passar do tempo. Quanto a você, é provável que tenha expectativas mais elevadas para esse filho do que para todos os outros juntos (embora eu espere que este livro desafie suas ideias nessa área). Por que é assim? Pense um pouco: essa criança é, agora, seu único filho. Ela não precisa esperar na frente da televisão enquanto você prepara o jantar do irmão. Durante um, dois, três ou talvez até quatro anos (ou uma vida inteira, se esse primogênito for seu único filho), esse bebê terá você inteira para ele. Tudo o que ele fizer será novo para vocês dois. Você aplaudirá seus primeiros passos, falará com ternura diante do primeiro vômito e provavelmente fotografará o primeiro banho. O "álbum do bebê" transbordará de fotos, lembranças e suvenires.

Com o passar do tempo, caso venha a ter mais de um filho, quando o caçula vomitar, você provavelmente vai esperar até a hora de dormir para limpar a roupa dele ou vai pedir um pano para o primogênito. Quando o filho do meio começar a andar, talvez você conte a seu marido quando ele chegar do trabalho, mas, além disso, é possível que pense: "Sim, já estava na hora". Você provavelmente vai fazer um álbum do filho do meio, mas, quando ele completar 5 anos, você se sentirá culpada ao ver como ele ficou vazio e incompleto comparado ao álbum do primogênito.

Por que isso acontece? Porque você já viu uma, duas ou três vezes tudo o que um bebê pode fazer!

A atenção extra que o primogênito recebe o faz desenvolver uma mentalidade de "realizador". Ele aprende desde cedo que está ali para atender a expectativas. Isso tem o efeito negativo de criar alguma ansiedade, mas o efeito positivo de fazê-lo realmente querer agradá-la tornando-se notável. Consequentemente, ele usará a responsabilidade e a liderança como um par de chinelos confortáveis.

Portanto, coragem: você tem a oportunidade de criar um filho que é um grande líder e colaborador. Criei três primogênitos, de modo que sei do que estou falando.

A VIDA COM UM PRIMOGÊNITO

"Ora, dr. Leman" algumas leitoras podem pensar, "como alguém pode ter *três* primogênitos?".

Nossa verdadeira primogênita, Holly, veio antes de todos os outros filhos. Nosso segundo "primogênito", Kevin, foi de fato nosso terceiro filho, mas, como o primeiro e único homem, ele incorporou muitas das características do primogênito. E nossa filha surpresa, Lauren, a caçula, é seis anos mais nova que o irmão mais próximo, o que, na realidade, faz dela uma primogênita em muitos aspectos. Afinal de contas, seus irmãos estavam na escola quando ela nasceu, de modo que ela recebeu de nós toda a atenção extra que um primogênito receberia.

Eles querem realizar

Assim é a vida com um primogênito. Usarei Lauren como exemplo, uma vez que Holly tem agora 30 anos e já saiu de casa.

Logo depois do feriado da Páscoa, eu levava Lauren, uma aluna extremamente dedicada, para sua aula no terceiro ano. Lauren, acredite se quiser, estava estudando latim. Ainda que, como psicólogo, eu tenha passado grande parte de minha vida estudando a natureza humana, tenho de confessar que nunca imaginei levar minha filha de 8 anos para a escola enquanto ela lia latim no banco do carro.

Curioso por ver Lauren tão aplicada no primeiro dia depois de um descanso prolongado, perguntei:

— Você tem prova de latim hoje?

— Não — disse Lauren. — Estou apenas revisando meus verbos.

Sendo filho caçula, eu só "revisei" meus verbos quando o durão da vizinhança, Tom Valentão, me ensinou alguns palavrões!

Este é o lado positivo de um primogênito: eles de fato querem realizar. Mas essa vontade de fazer acontecer pode ter um lado negativo também. Houve um semestre em que as notas de Lauren de repente caíram de A para C. Não existe nada de "C" que eu possa enxergar em Lauren, de modo que eu e Sande, minha esposa, fomos imediatamente até a escola para ver se conseguíamos descobrir o que estava acontecendo.

Ao nos sentarmos com a professora, ela explicou que o principal para Lauren era quem acabava primeiro. O primeiro aluno a completar uma tarefa passava a ser considerado importante no grupo de colegas de Lauren. Bem, Lauren, por natureza, não é do tipo apressado. Ela consegue fazer um trabalho nível A, mas não se o fizer às pressas. Lembro-me de várias ocasiões em que Lauren gastou três dias ou mesmo uma semana preparando um cartão de aniversário feito à mão. Ela não é de fazer criações desse tipo em cinco minutos, como tantas crianças fazem. Um primogênito costuma encarar qualquer desafio, particularmente um que gere um senso de estima e realização; e Lauren sacrificou a qualidade em nome da velocidade — tudo para se tornar parte de um grupo de amigos.

Eles têm de aprender que o fracasso faz parte da vida

O primogênito normal quer se sobressair. Além desse desejo inerente, estão as expectativas exageradas dos pais — ainda maiores pelo fato de essa criança ser o primeiro filho. Hoje, muitos pais tentam construir sua própria autoestima ao forçar os filhos a se destacarem em tudo. Enxergam o segundo lugar como a perda do primeiro, e não como uma posição muito acima da média, o que por si só já é maravilhoso. Os primogênitos rapidamente assimilam essa mentalidade e se pautam por ela; eles são os porta-bandeiras de sua família.

Contudo, como você verá mais adiante, acredito que o lar deve ser um lugar onde os filhos aprendam a fracassar, porque o fracasso faz parte da vida. Não é algo a ser temido; é algo do qual se tiram lições. Depois, é só se recompor e seguir adiante. Mas você provavelmente terá mais dificuldade em colocar essa filosofia em prática com seu primogênito do que com qualquer outro filho depois dele.

Eles são exemplos para os outros irmãos (se houver)
Existe ainda outro elemento que torna o primogênito tão diferente dos filhos que vêm depois. Pelo fato de ser o mais velho, os irmãos mais novos olharão maravilhados para ele. Como o caçula de minha família, eu queria fazer tudo o que meu irmão mais velho fazia. Ele era meu maior herói, e eu queria ser exatamente como ele.

Em geral, o filho mais velho é o mais forte, o mais esperto e o maior da família. Se ele tiver vários irmãos, quando estes o alcançarem, ele já terá saído de casa!

Essa é mais uma razão para criar bem o seu primogênito. Já que seus filhos mais novos o admiram, você vai querer que ele dê um bom exemplo. Ainda que seja provável que pelo menos um dos irmãos mais novos eventualmente venha a se rebelar contra o exemplo dele, ainda assim você vai querer que o exemplo esteja presente.

Embora eu transmita aos pais de primeira viagem toda essa informação nos meus seminários e na prática de aconselhamento, muitos ainda caem na síndrome dos pais de primeira viagem. Você cairá. Minha esposa, Sande, e eu também caímos. Com certeza, você *vai esperar* muito de seu primogênito. Será mais cuidadosa com ele do que com qualquer um de seus outros filhos. Acompanhará o progresso dele mais de perto do que o de todos os outros filhos juntos. O mais provável, porém, é que este filho acabe recompensando você por essa atenção.

PREPARE-SE PARA O PEQUENO TIRANO!

Dois meses atrás, era apenas você, se você for mãe solteira, ou você e seu marido, se for casada.

Se você é mãe solteira, está acostumada a tomar decisões sozinha — ouve conselhos dos outros e, então, decide. Se é casada, formal ou informalmente, vocês dois já elaboraram um acordo em relação a quem cabe determinado tipo de poder e influência nas decisões da família. Como a maioria dos casais, vocês certamente já estão bastante confortáveis com esse arranjo das coisas. As linhas de comunicação foram estabelecidas, vocês dois entendem como as coisas funcionam e já alcançaram um estado relativo de paz.

Tudo isso está prestes a mudar.

Ele vai controlar sua vida

Esse filho, por mais inocente e mais doce que possa parecer, imediatamente começará a formular uma estratégia para controlar por completo sua vida, sua casa, seu talão de cheques e cada segundo do seu dia. Não é brincadeira, nem exagero. É a natureza humana. Seu filho descobrirá um jeito de manipular você. De maneira consciente ou não, essa criança pesquisará que botões precisam ser pressionados para que você faça o que ela quer.

Você é motivada pelo medo? Seu primogênito descobrirá um jeito de aproveitar-se disso. Você cede a um choro contínuo? Ele entenderá isso rapidamente. Você é persuadida por rebelião hostil? Se for esse o caso, ele vai atacá-la sem piedade.

Ele terá um forte senso de ordem

Sempre haverá uma luta pelo poder com esse filho. Por natureza, os primogênitos tendem a ser bastante meticulosos. Holly não aceitava ouvir "Vamos sair lá pelas 9 horas". Se eu dissesse isso, ela devolvia: "Mas quanto tempo depois das 9 horas? Ou vamos sair antes das 9 horas? O que você quer dizer com 'lá pelas 9'?".

Eu tinha de dizer "Holly, vamos sair às 9h05".

Então, às 9h06, eu recebia um lembrete duro: "Papai, estamos atrasados!".

Os primogênitos têm uma necessidade de ordem. Eles gostam de estar no controle, e por uma boa razão: em geral eles estão!

Ele vai liderar o bando e definir tudo

É mais ou menos assim. Tenho um amigo que participa de corridas e maratonas. Certa vez tentei chamar a atenção dele para o fato de que a maratona tinha esse nome por causa de uma corrida de pouco mais de quarenta quilômetros feita por um mensageiro que, ao entregar a mensagem, caiu morto imediatamente; mas meu amigo não pegou a dica. Por ser um corredor exímio, ele tem de fazer algo com o qual a grande maioria das pessoas que entra em corridas não se preocupa: ele precisa saber o caminho. Quando se tem a grande possibilidade de liderar a corrida, não se pode simplesmente seguir o bando. A maior parte dos corredores pode aparecer dez minutos antes da largada, sabendo que sempre haverá pessoas na frente, às quais eles poderão seguir até o final da prova.

A necessidade que meu amigo maratonista tem de conhecer o percurso é o papel familiar do primogênito. Ele estará mais ou menos encarregado de qualquer irmão mais novo por toda a vida. Quando você leva para casa o bebê número dois, três, quatro ou (não respire, ainda não chegamos no meu número!) cinco, cada uma dessas crianças pode olhar em volta para ver o que se espera delas e distinguir como as coisas funcionam. Seu primogênito nunca terá isso. Diante dos irmãos, o primogênito orgulhosamente pensa: "Já estive lá, já fiz isso. Conheço esta casa. Conheço estes pais. Já tenho tudo calculado". Você não precisa lhe dar o papel de encarregado da situação; ele já o assumiu!

Pelo fato de agirem com a noção de que estão no comando, os primogênitos tendem a ser mais teimosos. Embora eu e Sande ainda não saibamos exatamente como, certa vez Holly deu uma espécie de "salto com vara" por cima da grade do berço depois de nos atrasarmos alguns poucos minutos em nosso compromisso de acordá-la.

Lauren, nossa filha mais nova, porém, teria permanecido alegremente em seu berço até que completasse 5 anos! Ela nasceu em agosto, verão no hemisfério norte. Passávamos os verões no estado de Nova York, e o primeiro "quarto" de Lauren foi um *closet* com cerca de 3 metros de largura por 2 de comprimento. Ela adorava ficar ali. Pela manhã, nós a pegávamos conversando consigo mesma, cantando e fazendo ruídos; um bebê tão feliz e contente como nenhum outro. Se voltássemos uma hora e meia depois, ela ainda estaria alegremente ocupada.

Ora, se tivéssemos tentado fazer isso com Holly Leman — deixá-la num *closet* por uma hora ou mais —, nossa primogênita teria arrancado as dobradiças da porta em cinco minutos e descoberto como chamar a polícia em dez. E eu estaria escrevendo este livro da cadeia, porque Holly encontraria o melhor advogado da cidade.

EXISTE UMA PRIMEIRA VEZ PARA TODO MUNDO

Neste momento, alguns leitores podem estar perguntando, de maneira cética: "Será que os primogênitos, os filhos do meio e os caçulas são assim *tão* diferentes?".

A resposta é: "Mais do que você jamais seria capaz de imaginar". Para começar, tenha em mente que seu primogênito tem tanta experiência como bebê quanto você tem como mãe! Quando o segundo filho aparecer no pedaço, você já terá acumulado algo entre 18 e 36 meses (ou mais) de experiência com a maternidade. Mas o primeiro filho estava empatado com você quando chegou.

Isso permite à criança lançar mão de alguns "jogos" engraçados. Holly foi mestre nisso. Quando ela estava com sede, se eu lhe trouxesse água da torneira do banheiro, ela insistia que queria água da cozinha; se eu lhe trouxesse água da cozinha, Holly naturalmente queria água do banheiro.

Você acha que cometi esse erro com Krissy (nossa segunda filha)? De jeito nenhum! Krissy nunca soube de onde vinha a água. Quando a filha número dois chegou, eu já havia aprendido a não dar explicações demais e a não me envolver em outra luta pelo poder.

Mas, por favor, não veja essas características dos primogênitos como algo negativo; muitas qualidades positivas surgem delas. Como já mencionei, um número enorme de líderes da sociedade, de chefes de governo, de altos executivos e de profissionais de destaque são primogênitos. Seu primeiro filho provavelmente vai deixá-la boquiaberta com a ousadia dele.

Lembro-me de quando Holly decidiu se afastar do jardim de infância. Ela havia se divertido nos primeiros meses, até que alguns educadores politicamente corretos decidiram transformar aquilo que, até então, fora uma boa escola, num "centro de aprendizado experimental". Não levou muito tempo até que Holly se enchesse de toda aquela coisa sem sentido. Certa noite, sem rodeios, ela anunciou que não iria mais à escola.

— Querida, você precisa frequentar o jardim — disse eu.

— Mas eu não gosto mais da escola — Holly respondeu.

O que Holly não sabia era que a mãe dela e eu já havíamos tido sérias discussões sobre nossa preocupação crescente com a escola. Só de brincadeira, porém, decidi dar prosseguimento àquela conversa com Holly para ver até onde ela iria.

— Holly, se você não vai mais à escola, então precisa telefonar para eles e avisá-los. Você não pode simplesmente parar de ir — disse. Tenha em mente que Holly tinha apenas 3 anos naquela ocasião.

— Mas, papai — disse Holly — eu não sei o número de telefone deles.

Eu, com meu doutorado como papai de Holly, não estava disposto a ceder a uma menininha de 3 anos. Assim, de posse de minha enorme bagagem de treinamento e estudo, imaginei que poderia pagar para ver. Dei a Holly o número de telefone da escola, decidido a levar a questão às últimas consequências.

Bem, logo aprendi que você não pode levar a questão às últimas consequências com uma criança como Holly. Ela de fato ligou para a escola! Com 3 anos de idade!

— Alô? Aqui é Holly Leman e estou avisando que não vou mais à escola.

"Engula essa, escola! Estou no controle!" Era exatamente isso o que ela estava dizendo; o que fez que eu, o pai dela, tivesse de dar muitas explicações.

Isso serve para mostrar que você precisa estar preparada para criar esse primeiro filho. Os primogênitos nos desafiam, mas, em muitos aspectos, invejo o que você está prestes a enfrentar. Tive muitas alegrias com Holly e com os outros dois filhos de minha família que compartilham algumas das características dos primogênitos. Os primogênitos são desafiadores, mas também são crianças brilhantes e fora de série. Eles podem ser uma grande felicidade!

EU? MUDAR O MUNDO?

A verdade é que, se criar seu primeiro filho da maneira certa, você mudará o mundo. E isso não é um exagero. A confiança por ser um primogênito, ao lado de uma experiência positiva junto aos pais, em geral resulta em um filho capaz de transformar o mundo num lugar diferente. Ele poderá ser professor, dirigente de uma empresa, um pai bastante responsável ou o presidente de seu país — você pode apostar que ele vai realizar alguma coisa. Os primogênitos têm muito mais probabilidade de ser bem-sucedidos, de obter independência financeira e até mesmo de cuidar de você na velhice.

Depois de alguns meses na companhia dessa criança em seu lar, você pode se sentir tentada a voltar à "vida normal", tentando fazer as coisas serem como eram antes que ela chegasse. Por favor, não faça isso. Invista tudo o que puder nessa criança. Dê a ela o amor de que precisa, o tempo que merece e faça tudo o que puder para "estar junto" dela. Sua decisão de tornar-se mãe significa que você terá de fazer alguns sacrifícios para poder assumir a responsabilidade adicional de cuidar de um filho. Mas, por favor, esteja ciente de que criá-lo será a coisa mais importante que você vai realizar — e uma verdadeira dádiva capaz de mudar o mundo ao seu redor de uma forma jamais sonhada.

Você tem uma grande aventura pela frente!

CAPÍTULO 2

Os primeiros dez dias

Sua estratégia para os primeiros dez dias com seu filho é bastante simples: sobrevivência.

Se você deu à luz essa criança, seu corpo acabou de passar por uma prova que faria a corrida de São Silvestre se parecer com um pulinho, um salto no lugar. Além de cansada pelos nove meses de gravidez, você teve de passar pela longa e difícil experiência de realmente dar à luz. No hospital, pessoas foram visitar o bebê, levando presentes e flores. Você tentou parecer o mais apresentável possível para receber os bem-intencionados visitantes quando, na verdade, tudo o que queria era dormir.

Agora, de repente, você foi mandada embora do hospital com um pacotinho de fraldas e um bebê — e se sente sobrecarregada. Você está se recuperando da grande viagem que seu presentinho especial fez pelo grande rio Amazonas (também conhecido como canal do nascimento), e se sente pressionada a ser a melhor mãe do mundo. Seu amor por esse bebê é muito intenso, mas, ainda assim, você está exausta e não pouco assustada.

Se você escolheu esse filho, é possível que tenha recebido um recém-nascido, uma criança com até 3 anos ou até mesmo uma mais velha. Talvez tenha encontrado seu filho no hospital do bairro logo depois do nascimento, pode ter viajado até uma cidade próxima ou voado milhares de quilômetros. Você está agitada e emocionada — depois de ter enfrentado toda a burocracia, seus sonhos estão prestes a se tornar realidade. Finalmente vai conhecer seu filho.

Foram meses ou anos imaginando como ele seria. E, agora, de repente, você está com um pouco de medo. Como mãe de primeira viagem de um filho pequeno, está tentando aprender a nova linguagem de copos com canudo, chupetas, babadores (quem imaginou ter *um* desses, quanto mais vários?), cadeirinhas para automóvel, carrinhos. Com satisfação, você empurrou todas as suas roupas com a etiqueta "lavar somente a seco" para o fundo do guarda-roupa. Passou vários dias em lojas de produtos infantis, tentando imaginar o tamanho do novo membro de sua família e traduzir o mistério dos "quilos" sugeridos nas etiquetas para uma forma real de corpo e de tamanho. Se teve de viajar para o exterior, também está fisicamente exausta. Seu filho está acostumado a um fuso horário; vocês estão em outro completamente diferente. Seu dia é a noite dele; a noite dele é o seu dia.

Ao chegar em casa, você é imediatamente cercada por visitantes bem-intencionados, felizes por você e desejosos de conhecer seu filho. Você achou que ficaria muito animada para mostrá-lo. Agora, tudo o que quer é "fugir" para o seu quarto, aconchegar-se a essa criança que finalmente você tem nos braços e dormir.

As perguntas giram em sua mente: "Serei uma boa mãe? Serei capaz de lhe dar o que necessita para se desenvolver física, emocional e espiritualmente? Ele e eu criaremos um vínculo rapidamente? Em que aspectos ele será parecido comigo? Vai gostar de música como eu? Terá o meu senso de humor?".

RESPIRE FUNDO

Quer você tenha recebido esse presente por meio do parto ou da adoção, aqui vai uma sugestão: nesses primeiros dias, concentre-se em ser uma *boa* mãe, em vez de ser a *melhor* mãe. Sejamos honestos: você não está na sua melhor forma. Está cansada, dolorida, navega num mar de emoções, e, se deu à luz, seus hormônios estão malucos. Quando mães de primeira viagem colocam muita pressão sobre si mesmas — "serei a melhor mãe que jamais existiu!" —, tornam-se suscetíveis a sentimentos de culpa e de fracasso. E quem precisa disso?

Portanto, recupere o fôlego. A criação de filhos dura décadas, não dias. Você enfrentará exaustão e estresse no futuro imediato (bom, tudo bem, será pelos próximos vinte anos ou mais, até que seu filho saia do ninho e cuide da própria vida!), de modo que, se não cuidar de si mesma, terá um colapso. Tirar um descanso parcial por dez dias não vai prejudicar o desenvolvimento intelectual, a adaptação social ou a autoestima do seu filho. Esqueça todos os "mandamentos" da criação de filhos e apenas reserve um tempo para descansar e criar vínculos.

Em outras palavras, você não precisa realizar nenhum trabalho. É isso — já se sente melhor? Vou dizer com todas as letras: eu não ligo se houver um pouco de pó pela casa. Não importa se a pilha de roupas sujas crescer um pouco. Não faz mal se você não fizer os exercícios de "desenvolvimento cerebral" com seu bebê. Quero que você descanse, relaxe, divirta-se com seu novo filho e que criem laços como família. Quero que você durma o máximo que puder, o que significa que terá de aprender a dormir quando seu filho estiver dormindo.

Aliás, permita-me apresentar-lhe a receita do dr. Leman: quando o bebê dormir, não se transforme num tornado, esfregando o chão e tentando deixar as coisas perfeitas. Em vez disso, concentre-se em recuperar as próprias energias. Separe tempo para descansar também. Você deve tirar várias sonecas.

Ah, você se sentirá tentada a colocar a roupa em ordem ou a limpar o chão quando seu pequeno anjo cochilar, mas resista. Vá cochilar também. Se você se sentir verdadeiramente descansada, permita-se tomar uma agradável xícara de café ou de chá enquanto lê um romance ou uma revista. Dê a si mesma o tempo necessário para se recuperar; você passou por muita coisa e tem uma longa estrada pela frente. Mas não se trata de uma estrada impossível de se viajar — como poderá às vezes pensar, quando estiver exausta e sobrecarregada. Sabe de uma coisa? Criar filhos também pode ser muito divertido e recompensador.

LIVRE-SE DA PRESSÃO

Os pais de primogênitos tendem a exagerar. Eles leem todos os livros sobre criação de filhos e sobre "o que esperar", fazem uma quantidade incrível de pesquisa, percorrem inúmeras lojas em busca de produtos que seu filho "precisa ter" e conversam com quaisquer outros pais num raio de quilômetros sobre a experiência deles. Eles têm os discos de Mozart e Shakespeare para o desenvolvimento intelectual do bebê; o sabão bactericida para qualquer pessoa que toque qualquer coisa que o bebê possa tocar; milhares de reais em mobília especial e segura como chiqueirinho, trocador de fraldas e berço; brinquedos testados, aprovados e cuidadosamente inspecionados; e um programa de dez passos de troca de fraldas, com sabonete orgânico, enxágue germicida, talco hipoalergênico para impedir assadura e sabe-se lá quantos cremes — tudo para manter o bumbum do bebê em ordem.

Mas deixe-me dizer uma coisa: o bumbum do seu bebê é um instrumento bastante resistente. É claro que, em nome da higiene, você deve limpá-lo de vez em quando, mas Deus não planejou algo que vai se decompor depois de cinquenta trocas de fraldas se não forem usados cremes, óleos e talcos caros!

Nos primeiros dias de vida do bebê, simplesmente cuide do básico: seu filho vai dormir, comer, vai dormir um pouco mais, vai encher a fralda e vai voltar a dormir. Isso tudo é a coisa mais natural do mundo para um bebê. E adivinhe só: você não precisa coordenar nada disso! Eles são, felizmente, acontecimentos bastante naturais.

Portanto, não complique o que é simples. Quando o bebê estiver molhado, troque-o. Se você se esquecer, ele provavelmente vai lembrá-la — e em alto volume. Se seu bebê é incomumente tolerante a ponto de não lembrá-la e, com isso, o bumbum dele ficar um pouquinho assado, existem pomadas que vão cuidar da situação. Seu filho não terá cicatrizes para o resto da vida se ficar assado de vez em quando (além disso, quem vai verificar isso quando ele chegar ao ensino médio?).

Em outras palavras, livre-se da pressão. As coisas biológicas mais importantes que seu bebê precisa fazer — comer, dormir e encher a fralda — acontecerão de maneira bastante natural. Os pais dos séculos passados não tiveram nenhum dos luxos que temos hoje, além de terem tido acesso a muito menos conhecimento. Eles não tiveram sabonete bactericida, não tiveram fraldas descartáveis e, em muitos casos, nem mesmo água quente. Não tiveram mamadeiras com bicos especiais planejados para se adaptar aos dentes à medida que eles surgissem, de modo a não prejudicá-los. Entretanto, a despeito de tudo isso que eles não tiveram, os filhos deles não apenas sobreviveram, como também prosperaram.

Você talvez ache que não sabe muita coisa, mas aposto que sabe mais do que a maioria das mães sabia nos séculos passados. E a boa notícia é que, dentro de apenas alguns dias, você vai se tornar uma especialista e ficar boa na compreensão de seu filhinho ou filhinha. Na verdade, você entenderá seu bebê melhor do que qualquer outra pessoa no mundo! Saberá do que ele precisa apenas pelo som do choro dele. Você conseguirá interpretá-lo melhor do que qualquer outra pessoa, incluindo seu médico.

UM VÍNCULO SOB MEDIDA

Você só tem uma oportunidade de recepcionar seu filho neste mundo e em seu lar; então, aproveite ao máximo. Uma criança não entenderá se você der prioridade a uma casa limpa, a certo estilo de preparação de comida, a roupas passadas ou à programação da TV. A única coisa que seu filho sabe é que quer estar com você — e ele vai ficar irrequieto se você estiver muito ocupada ou distraída com outras coisas.

Já mencionei que os três atos biológicos mais importantes — comer, dormir e encher a fralda — acontecerão naturalmente, mas existe outro ato relacional muito importante. É chamado de "criação de vínculo". É um momento em que você e seu filho se conectam física, espiritual e emocionalmente.

Chegue perto, pele com pele
Um dos mais poderosos exercícios de criação de vínculo entre mãe e filho foi planejado pelo próprio Deus: a amamentação. Não existe posição mais cálida ou mais confortável no mundo para um bebê do que ficar encostado no estômago de sua mãe, aninhado em seu peito. E a comida é grátis! (Algo que você certamente não será capaz de dizer mais tarde na vida de seu filho, especialmente nos esfomeados anos da adolescência.)

Se você deu à luz essa criança, espero que tire proveito dessa maravilhosa oportunidade de criar vínculo. Caso você não possa amamentar por alguma razão, ou seu filho tenha sido escolhido, não se desespere. Ainda é possível fazer da alimentação com mamadeira uma experiência lenta, despreocupada e íntima. Levante sua blusa para que o bebê passe algum tempo em contato com sua pele. Nada é tão bom de se sentir quanto a pele — nem mesmo o tecido de algodão especial com uma etiqueta GAP, Tommy Hilfiger ou Ralph Lauren. Olhe nos olhos de seu filho, cante para ele, converse, ria com ele (as crianças adoram ouvir o riso). Fuja da armadilha de ver o momento da amamentação ou da alimentação como a hora de assistir à televisão, falar ao telefone ou fazer alguma outra coisa sem interrupções "vocais". Use a soneca do bebê para essas distrações.

"Vista-se" com seu bebê!
Outra grande oportunidade de criar vínculo é mais fácil hoje do que já foi no passado: mantenha seu filho com você o maior tempo possível. Na minha época, as crianças eram colocadas em chiqueirinhos ou cadeiras infantis onde ficavam separadas da mãe. Hoje, felizmente, há inúmeros dispositivos para carregar o bebê que possibilitam que você praticamente "vista-se" com seu filho. São ideias ótimas. Já vi alguns que permitem que seu bebê descanse, sentado, contra seu peito, e outros que fazem que ele fique deitado em meio a uma espécie elaborada de bolsa. Quando seu filho crescer um pouco, você poderá levá-lo em suas caminhadas em mochilas apropriadas. Se você escolheu um "bebê mais velho" ou uma criança que está começando a andar, reserve um bom tempo para vocês se aconchegarem. Carregue a criança perto de seu coração sempre que puder e embale-a bastante no seu colo. Qualquer investimento no sentido

de manter seu filho junto a você renderá infinitos dividendos em termos de vínculo emocional e físico.

Quando for comprar um carrinho, considere adquirir um que permita que você olhe para seu filho, em vez de um no qual seu filho fique olhando para outras coisas. Se tiver condições, talvez você possa comprar um de cada. Seu filho vai logo se familiarizar com o mundo; nos primeiros meses, ele está tão interessado em você quanto em qualquer outra coisa que seja capaz de ver na rua.

Valorize os períodos da noite e da manhã
Existem outros dois momentos feitos sob medida para criar vínculos: assim que seu filho acorda pela manhã e a hora em que vai dormir à noite. Pense nisto: com o que alguém sonharia com mais frequência se, pouco antes de cair no sono, visse o mesmo rosto lhe sorrindo todas as noites e depois esse rosto fosse a primeira coisa que o saudasse pela manhã? Essa regularidade confere a seu filho uma sólida base de segurança.

Não sou médico, mas minha prática como terapeuta me dá alguma autoridade para afirmar que, em termos psicológicos, seu filho será grandemente beneficiado por momentos desapressados de criação de vínculo, em particular antes de dormir. Algumas crianças se sentem ávidas por aconchego logo depois de acordar também. Na realidade, não há quantidade de "tempo de qualidade" que possa substituir esses intervalos ideais.

Apaixone-se
Criar vínculo não é um processo complicado; é natural. Sempre que conversa e interage com seu filho, você cria vínculos. Você está se apaixonando por seu filho — e ele, por você. Fazer cócegas na barriga, tocar os dedos do pé, conversar com ele enquanto troca fraldas e cantar suavemente enquanto ele se prepara para dormir — todos esses são preciosos momentos de criação de vínculos.

Resista à "armadilha da pressa"
Mesmo agora seu filho está observando e tomando notas emocionais sobre como ele é tratado. Portanto, resista ao estilo de vida tradicionalmente apressado de hoje em dia. As crianças são bastante sensíveis à rejeição; de alguma forma elas sabem quando você está apenas tentando fazê-las tirar uma soneca antes da hora porque tem outras coisas com que se ocupar.

Alguma leitora pode estar perguntando: "Mas, dr. Leman, o que é 'antes da hora'? Quanto tempo devo esperar até colocar meu filho no berço para outra soneca?".

Existe uma razão para este livro não estar cheio de gráficos. Sou um grande defensor da ideia de deixar que seu filho seja o ser singular que ele é. Pergunte a qualquer mãe de criança na fase pré-escolar que tenha dois filhos e ela lhe dirá que cada um é diferente. Existe algum momento que seja melhor para colocar seu filho para tirar uma soneca ou ir dormir à noite? Com certeza. Que hora é essa? Depende do seu filho!

Por essa razão é tão importante criar vínculos. Quando você passa a conhecer seu filho, ele lhe dá indicações do momento em que começa a se sentir sonolento. Algumas crianças esfregam os olhos, outras se agitam cada vez que são tocadas, outras gritam como loucas. À medida que conhece seu filho, você começa a entender essas dicas antes que o conflito seja maior. Quanto melhor você compreender seu bebê, melhor saberá a hora apropriada para eventos importantes como comer e dormir. Antecipar esses momentos vai aliviar um pouco da pressão das disputas pelo poder que surgirão nos próximos meses.

Não há substituto para o tempo. Você precisa de tempo para aprender a interpretar seu filho. Tudo o mais — como enormes pilhas de louça, montes de poeira acumulada nos cantos, respostas a telefonemas e *e-mails* — pode esperar.

O FATOR RUÍDO

Qual é a primeira coisa que você faz quando chega em casa com seu filho pela primeira vez e ele pega no sono? Você diz "Psiu!", com o indicador nos lábios. "Ele está dormindo." Então você o coloca gentilmente no berço, arruma um cobertor em volta dele e retorna à sala, fechando a porta com cuidado. Depois, você passa o resto do tempo da soneca dele andando na ponta dos pés para não fazer barulho. Mesmo quando o bebê está acordado, você tem medo de assustá-lo com qualquer barulho.

Descobri que pais e mães de primeira viagem, na maioria, tratam seus recém-nascidos dessa maneira — como se as crianças fossem de outro mundo. Eles cochicham e sussurram, e a casa se torna tão silenciosa quanto um cemitério. Estremecem com a campainha ou quando o telefone toca. Hesitam até mesmo em lidar com a louça, uma vez que isso pode "acordar o bebê".

Contudo, toda criança precisa se acostumar aos "barulhos da casa". Isso significa que você, como mãe, deve realizar suas tarefas habituais. Trate como positivo o ruído provocado por elas: "Mamãe precisa passar o aspirador agora porque tudo está uma verdadeira bagunça e precisa ser limpo. O aspirador faz um barulho forte e engraçado. Quer ouvir?". Então, ligue o aspirador e mostre o que ele faz. Você pode até ir além e dizer: "Quando você for mais velho, poderá me ajudar. Vai ser muito bom!". Claro que um recém-nascido não vai necessariamente entender essa conversa, mas o próprio tom de sua voz — alegre, agradável — transmitirá informações cruciais a seu filho sobre o barulho. Filhos precisam aprender que o barulho não é algo a ser temido; ele faz parte da vida. Toda criança ouvirá o tilintar das louças, o barulho do aspirador de pó, o som grave do trovão, o estalar do raio — e se você retratar cada um deles como parte normal da vida, a criança não associará o medo a tais ruídos.

Certa mãe de dois filhos pequenos fez um bom uso desse "fator ruído". Quando os garotos decidiram fazer um concurso de gritos no carro para ver quem gritava mais alto (e eles estavam numa idade em que não sabiam quão barulhentos de fato poderiam ser), ela ligou o rádio tão alto que eles taparam os ouvidos.

— Mamãe, está muito alto — disseram em uníssono.

Sorrindo, a mãe abaixou o volume do rádio. Então, com sabedoria, ela disse:

— Bem, é exatamente assim que esse concurso de gritos soa para mim. Alto demais.

As crianças olharam uma para a outra com a sobrancelha levantada e disseram:

— Então vamos falar com a voz *normal*.

As crianças são espertas. Elas compreendem as coisas. E também entendem o que você *não* está dizendo ao ver suas reações.

Portanto, não ande pela casa na ponta dos pés, com medo de fazer algum barulho. O ruído faz parte do seu lar, da vida diária. Isso quer dizer que você deve sair por aí propositalmente batendo um tambor perto do ouvido de seu filho? Claro que não. Mas quanto mais cedo a criança se acostumar aos ruídos, mais fácil será o ajuste dela à vida da casa.

UMA MISSÃO PARA TODOS OS PAIS

Você está bastante ocupada nestes primeiros dez dias, mas quero lhe dar uma tarefa adicional — e muito importante. Em algum momento das primeiras duas semanas após a chegada de seu filho, quero que você saia para jantar com seu marido e deixe o bebê em casa. Se você for mãe solteira, é importante que passe algum tempo com amigos, também — longe de seu filho.

Para alguns, essa pode ser a coisa mais difícil que um médico já recomendou. Afinal de contas, é possível que você tenha esperado e ansiado por essa criança durante vários anos. Agora que ela está em sua casa, você quer ficar por perto, a fim de protegê-la e de criar vínculos com ela. Você quer que ela se sinta cercada por seu amor o tempo todo. Mas também é vital que você se distancie um pouco — para o seu próprio bem-estar, para a saúde de sua família no longo prazo e, por fim, para o bem de seu filho pela vida toda. Em primeiro lugar, isso estabelece a ideia de que mamãe não estará lá o tempo todo; seu filho precisa aprender que você tem uma vida separada da dele.

Em segundo lugar, se você é casada, sair para um encontro com seu marido logo no início reforça a importância de vocês dois continuarem a cultivar seu relacionamento. Uma das melhores coisas que você pode fazer por seu filho é comprometer-se com o bom funcionamento de seu casamento. Você quer que seu bebê cresça num relacionamento em que mamãe e papai são praticamente estranhos um para o outro? Você quer que seu filho cresça e pense que, na melhor das hipóteses, mamãe e papai apenas toleram um ao outro? Ou você quer que seu filho reproduza no próprio relacionamento conjugal aquilo que testemunhou em casa, dizendo um dia a si mesmo: "Espero que meu casamento seja tão bom, tão rico e tão significativo quanto o dos meus pais"?

Entretanto, já sei que desculpa você vai usar para se livrar dessa tarefa, pois já a ouvi inúmeras vezes: "Não há ninguém 'qualificado' para cuidar do bebê". É claro que seu primeiro instinto é achar que precisa de alguém com Ph.D. em puericultura, além de graduação em psicologia. Mas praticamente qualquer adulto responsável pode cuidar de um bebê por duas ou três horas — e é desse tempo todo que estou pedindo para você abrir mão. Não, você não vai querer deixar um recém-nascido com alguém que está começando a cuidar de bebês (essa não é a hora de testar adolescentes de 13 ou 14 anos), mas um adulto maduro — que pode ser uma tia, uma avó, um avô ou um vizinho cuidadoso — vai se sair muito bem. Se você conseguir se programar bem, o bebê provavelmente estará dormindo a maior parte do tempo.

Para casais casados, parte de sua tarefa é iniciar seu encontro com a frase "Vamos falar de nós". No começo, pode ser difícil fazer isso, mas é imperativo que vocês continuem a construir sua vida como casal. Dois grandes desafios ao romance conjugal surgem pouco depois da cerimônia de casamento e pouco depois da chegada do primeiro filho. Por quê? Alguns casais noivos param de falar sobre si mesmos e passam o tempo todo planejando o casamento. Depois, assim que a cerimônia termina, eles não têm nada sobre o que conversar! E os pais iniciantes costumam se perder em seus filhos, lentamente tornando-se estranhos um para o outro. Eles conversam sobre cuidados com o bebê, a proximidade do parto ou os documentos da adoção, como foram as coisas no hospital, o que a criança fez pela primeira vez. Não é à toa que nós, terapeutas, falemos em tom de brincadeira, mas ao mesmo tempo sério, sobre o "culto ao primogênito".

Aqueles que acham que não podem deixar o filho ou que *não conseguem* deixar de falar sobre o filho enquanto estão num encontro precisam se aconselhar com alguém que já passou por isso. Confie em mim: daqui a três anos, você e seu marido — se forem sábios — farão preparativos para sair por um final de semana inteiro. Conforme a sexta-feira se aproximar, vocês estarão tão agitados quanto criancinhas. Ainda que o coração de vocês esteja um pouco apertado à medida que se afastam de casa, deixando a pequena Luísa ou o pequeno Bruno para trás, vocês dirão coisas como: "Não acredito que vamos ficar sozinhos por três dias inteiros".

Quando chegarem ao restaurante, vocês se olharão com cumplicidade, talvez encostem o pé por baixo da mesa e desfrutem de um jantar sem pressa, sem ter de cortar a comida de outra pessoa em pedaços pequenos. Pela primeira vez em meses, vocês conseguirão fazer sexo antes das 9 da noite, sem se preocupar que alguém na casa possa ouvi-los.

É claro que, depois de seu pequeno interlúdio romântico, vocês acabarão olhando para o relógio e dizendo: "Será que a Luísa está bem? Não seria melhor ligar para casa?".

A verdade é que não é possível ficar muito longe dos filhos, pelo menos emocionalmente — eles nos sugam para a vida deles, mesmo estando a centenas de quilômetros de distância — mas isso não deve impedi-los de esforçar-se ao máximo para reservar tempo para o casamento. Quando o maravilhoso final de semana estiver acabando, se tudo acontecer como o previsto, vocês mal poderão esperar para pôr as mãos naquele pedacinho de gente e ouvir aquele riso gostoso e alegre. Seu coração vai quase explodir de saudade. Essa é a essência de ser pai ou mãe: descobrir que seu coração está entrelaçado ao daquela criança. E é especialmente por isso que é tão importante, desde o início, estabelecer o pré-requisito de passar tempo sozinhos como casal.

Lembre-se do que eu disse antes: criação de filhos é um trabalho de décadas, não de dias. É perigoso para o bem-estar de sua família colocar seu casamento no "modo pausa" enquanto vocês tentam criar um filho. Uma das piores coisas que podem acontecer para um filho em termos psicológicos é passar pelo doloroso divórcio de seus pais. Assim, você faz um favor ao seu filho ao deixá-lo por tempo suficiente a fim de atender a suas necessidades conjugais.

TUDO MUDA

A maioria de nós sabe qual é a sensação de, de repente, ao dirigir pela rua, ver luzes de freio se acenderem, enfiar o pé no freio e ficar a centímetros do carro da frente. É um tipo de estresse imediato e de curta duração que todos nós enfrentamos de tempos em tempos, e nosso corpo está bem preparado para lidar com um surto repentino de adrenalina. Vinte minutos depois, nosso corpo retorna ao estado de normalidade. Esse não é o tipo de estresse que *vai* causar danos de longo prazo ao seu corpo.

Ironicamente, o estresse que mata é o do tipo lento, penetrante e constante: o cachorro do vizinho que não para de latir e que mantém você acordado noite após noite; sentimentos contínuos de impotência no emprego, onde você sempre tem mais trabalho a realizar do que tempo para dar conta dele; ressentimento contínuo em um relacionamento pessoal. Essas frustrações constantes não são tão intensas quanto o susto de um quase acidente e não elevam demais os batimentos cardíacos, mas o estresse por elas produzido é bastante real — e ainda mais prejudicial para o organismo.

Ora, que tipo de estresse você acha que tem maior probabilidade de aparecer na criação de filhos? Isso mesmo, o do tipo mais mortal.

Aqui está o problema: se você, como mulher, é um pouco parecida com Sande Leman (minha esposa), então é capaz de fazer compras por horas a fio. Pode passear nas lojas o dia inteiro. De fato, se estiver usando o par de sapatos adequado, tiver a quantidade suficiente de café e uma dose ocasional de chocolate, você pode dedicar-se às compras durante um fim de semana inteiro. Mas e a bateria do seu carro? Ela vai durar tanto tempo assim se você deixar as luzes acesas?

Definitivamente, não. Se deixar o farol do carro aceso, ainda que tenha a bateria mais potente do mercado, ela vai descarregar em algum ponto entre a saída da loja de roupas infantis e a entrada na loja de calçados.

A mesma coisa acontece em relação a ser mãe de uma criança pequena. Você só consegue fazer algumas coisas. Esqueça o que você conseguia fazer antes de ter um filho. Cada palavra deve assumir um novo significado. Por exemplo: as palavras *limpeza*, *agenda* e *culinária gourmet* terão de ser redefinidas nos primeiros meses de vida do bebê. Com o tempo, uma casa "limpa" significará que há lugares em que é possível de fato ver o chão. Para algumas mães, isso não é difícil; para outras, aprender a baixar as expectativas constitui um esforço enorme.

Veja por que considero tão importante que você reduza suas expectativas. Seu pequeno presente de Deus não poderia se importar menos com o serviço doméstico, com sua necessidade de dormir ou com a falta que você sente de malhar na academia com uma amiga. Você recebeu um presente, mas, falando bem francamente, ele é um bebedor de leite hedonista. Tudo o que importa para seu bebê é estar quentinho, confortável, ser abraçado, cuidado, alimentado e colocado para dormir.

Se você tentar fazer tudo o que fazia antes de ter um bebê, pode ser que fique ressentida com seu filho. O problema não é o seu filho — ele está agindo como qualquer criança! O problema é você acreditar que ter uma criança em casa não vai provocar uma mudança considerável em sua agenda, na arrumação da casa ou na sua capacidade de cozinhar, relaxar e brincar. Nos primeiros dez dias, crie vínculos com seu filho em vez de ficar irritada ou ressentida com ele. Esta é a hora de deixar o restante do mundo correr sozinho enquanto vocês simplesmente se concentram em conhecer um ao outro.

Não é impressionante que, nesses primeiros e poucos dias de vida, um pequeno ser, com cerca de 50 centímetros, aprenda a reconhecer quem você é? Ele é capaz de identificar sua voz característica e amorosa. Se seu novo filho é um bebê mais velho ou uma criança pequena, em breve ele vai se sentir confortado pelo som tranquilizador de sua voz e pelo seu abraço. Ninguém pode tirar o lugar que você ocupa no coração dele. Quer seja uma criança "escolhida", quer tenha nascido de você, vocês certamente vão se apaixonar um pelo outro.

Mas esses são apenas os primeiros passos de uma longa jornada na criação de filhos. Se seu filho viver com você por dezoito anos (e muitos filhos ficam em casa até bem depois disso), você terá mais de 6.500 dias para criá-lo. Os primeiros dez dias são literalmente o primeiro passo. Nenhum corredor sábio começa dando tudo no início de uma maratona; então, vá com calma.

Veja uma analogia que gosto de fazer. Se você já viajou de avião, então conhece o aviso dado no início do voo. No caso de acontecer alguma emergência, os pais que estão voando com filhos pequenos devem colocar suas próprias máscaras de oxigênio antes de colocar a máscara nas crianças. Por quê? Se você desmaiar enquanto põe a máscara no seu filho, vocês dois terão problemas.

Na aventura da maternidade, você precisa de seu próprio suprimento de oxigênio para que seja física e espiritualmente forte o suficiente para cuidar de outra pessoa. Nos primeiros dez dias, criar vínculos com seu filho será uma responsabilidade de tempo integral. Serviço de casa, refeições elaboradas, visitas e, às vezes, até o banho podem ter de esperar. Dê importância ao que é importante e mantenha suas prioridades na ordem correta. Qualquer casa funciona melhor se você mantiver o foco primeiramente em Deus (de que outra forma é possível ter suas forças renovadas quando se sentir exausta, senão por meio da oração e do presente de Deus que é o sono?), depois em seu marido (se você for casada) e, então, em seu filho. Mas, quando esse filho é pequeno, é fácil colocar o terceiro na posição do primeiro. Eu e Sande sabemos — tivemos de trabalhar duro nos últimos trinta anos de criação de filhos (hoje a idade de nossos filhos varia de 30 a 10 anos) para manter nossas prioridades no lugar certo.

Simplifique as coisas. Algumas mães já leram meia dúzia de livros sobre criação de filhos. Ainda que eu aplauda esse esforço, quero alertá-la sobre o exagero. Informação demais pode criar confusão.

Coloque a coisa da seguinte maneira: já aconteceu de você estar em um grupo e pedir em voz alta que alguém dissesse as horas para que pudesse acertar seu relógio? Lembra-se das respostas conflitantes que recebeu?

— 9h45.
— 9h55.
— 9h43.
— 9h47.

Se você está tentando acertar o relógio e precisa apenas saber que horas são, obter várias respostas pode ser ainda mais confuso do que receber só uma resposta ligeiramente errada. Criar filhos é mais ou menos assim. Você está em melhor situação se usar um único relógio, e seu filho estará em melhor situação se você seguir apenas uma estratégia. É bem provável que a consistência seja mais importante do que praticamente qualquer outra coisa.

A fórmula mais consistente e simples que posso lhe dar para os primeiros dez dias é criar vínculos e se recuperar. *Vínculos e recuperação.* Passe tempo com seu filho. Descanse. Ria com ele. Descanse. Alimente seu bebê. Descanse. Troque a fralda do bebê. Descanse.

A cada dia seu filho vai se tornar um pouco mais independente. Vai precisar de você cada vez menos. Desfrute desses dias em que você é o mundo inteiro de seu filho. É um momento sagrado, e você o merece.

UMA PALAVRA AO PAI DE PRIMEIRA VIAGEM

A maior parte deste livro será lida por você, mãe. Mas, se você for casada, quero pedir que marque esta seção e peça ao seu marido que a leia.

Papai, esta parte é só para você. Eu sei, eu sei — você tem uma centena de coisas para fazer pela casa, além de dezenas de jogos para assistir pela televisão, de modo que não ficou muito animado quando sua esposa lhe deu este livro e lhe pediu que lesse esta seção. Farei o possível para que ela seja breve (é, só um homem sabe qual é o tempo de concentração de outro homem!), mas realmente creio que o que estou prestes a dizer é muito importante.

Sua esposa acabou de fazer parte de um grande milagre. Sim, eu sei, você também participou dele, caso vocês tenham concebido essa criança. Mas a sua parte foi um pouco mais divertida, e a dela teve duração de nove meses (se você for um cara de sorte, sua participação durou uma hora e meia; mas, na média, eu diria que ela provavelmente durou cerca de quinze minutos!).

Vamos conversar de pai para pai — sim, você é pai agora. Pode ser que você ainda se sinta como um garoto ou que seja jovem demais para que uma criança o chame de "papai", mas a criança que acabou de sair do corpo de sua esposa certamente o qualifica com essa característica.

Eu mesmo criei cinco filhos e, se consegui, você também consegue. Sei como me fingir de morto — mantendo minha respiração num ritmo bem estável, como quem está num sono profundo, de modo que minha esposa nem mesmo pense em me "acordar" para pedir ajuda para trocar uma fralda suja ou limpar o vômito de um menino doente. De fato, depois de cinco filhos, creio que posso dizer com segurança que conheço todos os truques do negócio.

Mas felizmente também dei a minha contribuição. Depois de trinta anos de criação de filhos, Sande lhe diria que fui um pai bastante bom. Ela gostava de me ver arregaçar as mangas e ajudar, e é sobre isso que quero falar com você.

Entenda que você é o "reserva"!

Neste momento, sua esposa é o craque. Em termos futebolísticos, ela é o que Pelé foi. Ele era escalado para jogar todas as partidas e, é claro, ficava cansado. Por mais que quisesse estar sempre jogando, a quantidade de jogos e seu próprio cansaço indicavam que havia um momento em que precisava parar. Quando seu reserva se levantava do banco, Pelé sabia que sua hora de sair havia chegado. A partir daquele instante, o jogo ficava na mão do reserva.

Se sua esposa é o Pelé, você é o reserva. Talvez você nunca tenha se visto dessa maneira, mas você é; você é o substituto. Sua esposa talvez não queira sair de campo, mas, para o bem da saúde dela e do seu bebê — e, em última análise, de sua própria felicidade como marido — você precisa protegê-la do exagero.

Como substituto, seu trabalho é arregaçar as mangas e terminar aquilo que sua esposa começou. Se o bebê tira cochilos curtos, sua esposa pode precisar dormir enquanto você cuida do pequeno. Certamente ela pode usar dez minutos para relaxar no sofá enquanto você troca a fralda. Fará toda a diferença do mundo para você, para sua esposa e para seu filho se você der a ela essas miniférias várias vezes por dia (ainda que isso aconteça bem no momento em que você entra pela porta, vindo do trabalho, e ela aparenta estar exausta; ou no meio da noite; ou bem cedo, antes de ir para o trabalho). Eu sei, eu sei, você também trabalhou o dia inteiro. É claro que gostaria de chegar em casa, assistir ao telejornal e se atualizar sobre a tabela do campeonato. Mas seu trabalho é diferente; você pelo menos teve a chance de mudar de lugar e de tipo de trabalho. Contraste isso com sua esposa, cujo dia inteiro foi tomado por cuidados com seu filho. Ela sente uma tremenda responsabilidade diária, minuto a minuto, por uma criança que ainda não é capaz de fazer as coisas por si mesma. Quer ela tenha trabalhado fora de casa antes, quer não, a maternidade transformou por completo o mundo dela. Ela precisa de uma pausa.

Na realidade, a energia de sua esposa, que antes era dedicada a você e ao casamento, foi agora seriamente desviada por esse presente divino de 50 centímetros e que, como você já deve ter notado, tem muitas tendências hedonistas e não pode recompensá-la de forma alguma. É por isso que ela precisa da sua ajuda. O principal obstáculo dela sempre será a exaustão. Pense nela como um piloto que é tirado de seu automóvel depois das 500 Milhas de Indianápolis — tão tenso e dolorido que mal consegue ficar em pé. Essa é a sua esposa. Em termos físicos, emocionais e hormonais, ela está envolvida numa guerra. E, às vezes, ela precisa que você leve a carga por alguns momentos.

Seja o herói de sua esposa
Ser mãe de uma criança pequena é realmente difícil. É um trabalho de vinte e quatro horas por dia. Não é de surpreender que muitas mães decidam permanecer em casa com seus filhos (falaremos mais sobre isso num capítulo adiante). Contudo, algumas pessoas ainda desprezam as mães que ficam em casa, achando que elas não contribuem tanto com a sociedade. Essas pessoas mal informadas têm muito a aprender sobre os desafios de ser o tipo de mãe que está "de plantão" o tempo todo. E o mesmo precisa acontecer com qualquer pai que trabalha fora de casa e não enxerga os desafios que a mulher enfrenta minuto a minuto. Mas você pode ser diferente. Você tem a oportunidade de ser o herói de sua esposa e um grande pai para seu filho ao entrar em campo e assumir a posição dela.

Como fazer isso? Amigo, tudo gira em torno de pequenas coisas. Ligue para casa quando estiver no mercado e pergunte à sua esposa: "Você precisa de alguma coisa?". Saia com ela, mas assegure que *você* vai ligar e conseguir alguém para ficar com o bebê. Não deixe por conta dela todo o planejamento para as noites de folga. Limpe a cozinha de modo que sua esposa não se sinta nem mesmo tentada a fazê-lo. Ponha a roupa para lavar. Arrume a cama. Tente pensar em todas as pequenas coisas que sua mulher faz e que você antes achava que aconteciam naturalmente.

Depois de tornar-se mãe, sua esposa tornou-se participante daquilo que chamo de a "Ordem das Mulheres-Velcro": todas as necessidades acabam grudando nela. Jantar e cinema parecem ótimos, mas serão ainda melhores se *você* organizar tudo. Ela talvez precise que você abra um espaço na agenda nas noites de quinta-feira para que ela vá à academia ou tenha algum tempo para si mesma. Se você está começando a franzir a testa, pode parar. Sei que você já vê menos sua esposa e agora estou lhe dizendo que deve deixá-la sair mais ainda! Mas confie em mim: tudo isso vai retornar para você. No coração ela dirá: "Sou tão feliz por ter me casado com esse homem", e vai amá-lo mais intensamente por isso. E, marido, as esposas costumam ter maneiras bem criativas e legais de dizer quanto nos apreciam!

Aja como protetor dela
Todo mundo vai querer fazer uma visita e ver o bebê, todos vão querer falar com sua esposa por telefone, e ela pode ser sentir na obrigação de atender todos os visitantes e a todas as solicitações. (Isso é especialmente verdadeiro porque as mulheres, de modo geral, tendem a querer "agradar" por natureza. Elas não querem ferir os sentimentos de ninguém e dão enorme atenção às consequências de longo prazo até mesmo de pequenos deslizes nos relacionamentos.) Porém, como protetor de sua mulher, você precisa ser aquele que cuida do que é melhor para ela. Limite as ligações telefônicas e faça o papel do vilão: "Sinto muito, ela está realmente muito cansada e não pode atender agora. Mas vou avisar que você ligou. Com certeza ela vai ligar de volta assim que tiver um tempo".

Não é preciso ser um gênio para saber com quais amigos sua esposa vai querer falar e quais serão "um peso". Filtre as ligações de acordo com isso. Do mesmo modo, você sabe quais visitas vão realmente encorajar e animar o espírito de sua esposa e quais produzirão mais trabalho. Quem quer receber alguém em casa se isso significa ter de trabalhar para deixar a si mesmo e a sua casa apresentáveis para a "visita", se tem de preparar petiscos variados ou uma boa refeição, ou se tem de se sentar e ser hospitaleiro quando tudo que se quer é dormir? Por outro lado, uma amiga que se oferece para cuidar do bebê, para lavar ou passar a roupa enquanto sua esposa tira uma soneca, provavelmente seria a pessoa mais bem-vinda. Portanto, seja o "leão de chácara" para proteger os melhores interesses de sua esposa. Alguns amigos poderão chamá-lo de "controlador" e dizer coisas ainda piores nas suas costas, mas, lá no fundo, sua mulher quer que você seja o protetor dela. Por causa da maneira como Deus a criou — para preocupar-se primeiramente com todo mundo, e só depois consigo mesma —, ela *precisa* de você. Quando ela o vir cuidando de seu bem-estar, descansará mais facilmente, pensando: "Ele me conhece; ele pode me proteger. Passaremos bem pela loucura desses primeiros dias — juntos".

Pense em como ajudar — de maneira prática
Não, você não pode ajudar dando de mamar no peito. Você não foi feito para isso! Mas, além das tarefas tradicionais de casa, tente pensar em coisas que você

normalmente não pensaria em fazer, como escrever as cartinhas de agradecimento pelos presentes do chá de bebê. Antecipe-se à necessidade extra de tempo para concentrar-se no cuidado de sua esposa e deixe o trabalho no escritório. Agora não é a hora de "sair" com os amigos.

Se você está lendo isto antes do nascimento do bebê ou da chegada do "filho escolhido", conclua aquela lista de coisas a fazer algumas semanas antes da data marcada, de modo que esteja livre para ajudar mais em casa. Você precisa abrir espaço na sua agenda. Suas habilidades esportivas podem piorar um pouco pela falta de treino, o carro pode ficar um pouco mais empoeirado e, sim, algum mato pode aparecer no seu jardim — mas nada disso importa tanto quanto apoiar sua esposa nesses dias iniciais e tão importantes. Quando chegou a hora do nascimento de nossa primogênita, eu sabia que minha vida iria mudar, mas não percebi qual seria o tamanho dessa mudança. Ter aquele bebê em nossa casa mudou a dinâmica de nossa família para sempre. Eu estava tão animado no último mês de gravidez que não fiz muita coisa; olhando para trás, gostaria de ter feito mais para estar pronto.

Perceba como seu papel de pai é importante
Espero que você tenha ideia da influência que pode ter sobre essa criança. Se for menina, você representará toda a masculinidade para sua filha; você também representa o Deus todo-poderoso. Você será amoroso, vai apoiá-la, reservará tempo para deixar uma marca indelével na alma dessa menininha? Sugiro que você considere a ideia de ler meu livro *What a Difference a Daddy Makes* [A diferença que um pai faz]. Descobri que o tipo de homem que uma mulher escolhe para se casar costuma estar diretamente ligado ao tipo de relacionamento dela com seu pai. O fato é que você *deixará* uma marca em sua filha. A única pergunta é se essa marca será positiva ou negativa.

"Mas, eu tive um filho", dirão alguns pais. Adivinhe só! Você representa para seu filho aquilo que os homens devem ser. À medida que crescer, ele verá como você trata sua esposa; provavelmente será assim que ele tratará a esposa dele também. Sabe aquelas palavras que você usa nos momentos de raiva? Não se surpreenda se algumas delas saírem da boca de seu filho também. Ele olhará para você com uma intensidade desconcertante e copiará praticamente tudo o que vir e ouvir.

É uma responsabilidade enorme entrar nesse campo e assumir a posição, mas aposto que você está pronto. Afinal de contas, você é um cara esperto. E o fato de realmente ter lido até aqui mostra que você pode ir longe. Você pode fechar o jogo e conquistar o campeonato. Sua esposa e seu filho estão contando com você. Você consegue!

SUA AMIGA MAIS CHEGADA

Mãe, agora volto a falar com você. Felizmente, os próximos vinte dias ficarão mais fáceis porque seu marido reservou um tempo para ler as páginas que acabamos de dedicar a ele. Se ele aplicar o que leu, espero que você também faça um esforço para mostrar a ele quanto aprecia sua ajuda. Se você é mãe solteira, não subestime o valor de ter os homens em quem você confia — um avô, um mentor, um bom amigo — envolvidos o mais cedo possível na vida de seu filho. Sejamos honestos: esses homens jamais substituirão a importância de um pai na vida dessa criança, mas eles podem exibir qualidades — força, confiança, amor, amizade — capazes de causar impacto sobre seu filho ou filha para a vida toda.

A amiga mais chegada de toda mãe nessas duas primeiras semanas será a exaustão. As primeiras palavras a saírem da boca de Sande logo após o nascimento de nossa primogênita foram "estou exausta". Ela não fazia ideia de como era cansativo dar à luz, e certamente não tinha ideia de que seria ainda mais cansativa a chegada do pequeno anjo em casa!

Laura, uma mãe solteira apaixonada pela ideia de escolher uma criança de outro país, não tinha ideia de como o processo de quase dois anos seria cansativo. Depois da burocracia de visitas médicas, verificação de impressões digitais, prazos de entrega, múltiplas cópias de papéis para o dossiê, ela finalmente recebeu a foto de referência — o doce rosto de sua bebê. Depois de quase trinta e seis horas de voo e dezesseis dias fora de casa, ela retornou, exausta. Sua jornada maternal havia apenas começado e, dali a três meses, ela teve de voltar a trabalhar.

Ora, de que maneira a exaustão é uma amiga?

A exaustão ensina a depender dos outros

Não é possível fazer tudo sozinha; você vai precisar de ajuda de outras pessoas. E isso inclui seus pais, seu marido, seus amigos e sua igreja. Se as pessoas não se oferecerem, aprenda a pedir. Já ouvi falar de algumas mulheres (isso é que é planejamento!) que preparam refeições para várias semanas e as congelam, a fim de consumi-las quando o bebê chegar. Mas muitas mulheres no oitavo ou nono mês de gestação não desejam chegar perto de um fogão. O cheiro de comida e o calor lhes provocam náuseas.

Em resumo, você precisa desenvolver um sistema de apoio. A mãe inteligente conversará com outras mães antes de ter o bebê e descobrirá o que é melhor para ela em termos de suporte. Talvez você tenha a sorte de contar com uma mãe ou uma sogra ansiosa por ajudar. Foi o caso de Laura, a mãe solteira; quatro anos depois ela diz que nunca teria conseguido sem a mãe amorosa que morava a apenas dez minutos de sua casa. Mas a pergunta é: quando vovó e vovô serão mais úteis? Logo após o nascimento, na chegada do bebê em casa, ou duas semanas depois? Talvez eles queiram vir logo, mas pode ser que você queira ter um tempo sozinha com o bebê, ou só com seu marido e o bebê. Portanto, você tem permissão para se colocar em primeiro lugar nessa situação, sem se sentir culpada. Pergunte a si mesma: "O que vai me deixar mais confortável?".

Como descobrir tudo isso? Converse com suas amigas que já tiveram bebês; fale com o pediatra. Discuta o assunto com seu marido. Pode ser que ele a conheça melhor do que você imagina.

Algumas mulheres são membros honorários do "Clube das Mártires Altruístas" — aquelas que estão sempre ansiosas e prontas para ajudar os outros, mas que se recusam a receber ajuda. Contudo, ao lidar com a tarefa de criar filhos, você deve deixar que sua filiação ao clube expire. Enxergue a filosofia de mártir sob outra perspectiva: é egoísmo roubar dos outros o privilégio de servir-lhe. Claro que poderá ser um pouco humilhante pedir ajuda, especialmente se você estiver acostumada a fazer as coisas sozinha. Mas alguns pais, amigos e parentes serão tocados além das palavras se você for até eles e estiver disposta a admitir que precisa de ajuda.

Se seu bebê ainda não nasceu, você talvez não consiga realmente imaginar quanto ficará cansada. A ideia de ter outras pessoas lhe trazendo refeições nas próximas duas semanas pode ser um horror para você. Mas, quando chegar a hora, você pode muito bem se sentir como muitas mulheres: aliviadas com o fato de não terem de se preocupar em preparar uma refeição em meio à transição para o papel de mãe. Livrar-se dessa tarefa faz maravilhas no final da tarde — o período do dia em que todas as mães de filhos pequenos sentem que a energia começa a desaparecer.

Seja qual for sua rede de apoio, tenha em mente que *você* é a única que vai tomar a decisão final, e você tem o direito de mudar de ideia novamente, sem culpa. Não tenha medo de dizer à futura vovó: "Acho que vou querer ter você por perto logo no início, quando chegar em casa, mas, por favor, me dê liberdade para mudar de ideia na última hora, certo?". Esse tipo de planejamento antecipado lhe dará uma saída fácil caso você se sinta inesperadamente bem e queira apenas desfrutar um tempinho de privacidade com seu marido e seu bebê. Nunca se esqueça: você é a mãe agora; então, é você que está no comando. Esse é um grande passo de crescimento para você. Assuma a responsabilidade e vá em frente.

Não tente se enganar, achando que é o tipo de mulher que simplesmente não precisa de ajuda (sim, eu consigo ler a mente de algumas leitoras — peguei você, não foi?). Posso garantir que você *precisará* — não existe uma mãe no mundo que não precise — e será muito mais fácil se você pensar em tudo isso antes de trazer seu bebê para casa.

A exaustão é um lembrete para que você assuma a visão de longo prazo
Você terá esse filho por bastante tempo, e criá-lo envolverá escolhas diárias que vão moldar o caráter dele. Isso significa que você terá de reavaliar suas prioridades, pois sempre haverá mais coisas a fazer do que é possível dar conta. Sempre haverá tarefas não concluídas. O serviço de casa sempre estará presente, mas o tempo e a energia que você preserva para dedicar a seu filho vão realmente trazer bons resultados às suas relações, hoje e no futuro.

A despeito das muitas obrigações e tarefas não concluídas, você dedicará tempo para desfrutar de seu marido e de seu filho?

Espero que sim.

Lembre-se: os primeiros dez dias giram em torno de duas coisas: vínculos e descanso. Vínculos e descanso. Tudo mais é acessório.

CAPÍTULO 3

Os três grandes: alimentação, sono e choro

Certa vez, uma advogada de pouco mais de 20 anos disse-me com segurança que, quando se casasse e tivesse filhos, ela definitivamente iria querer continuar trabalhando. "O que eu vou fazer o dia inteiro com um bebê? Vou ficar entediada!", exclamou.

Naquela época, eu apenas sorri e disse alguma coisa como "Você nem imagina". A simples ideia de que ela "ficaria sem ter o que fazer" com um bebê apenas mostrava sua ingenuidade.

Conversei com ela uma década depois. Ela havia se casado, tivera um bebê, largara o emprego e tivera mais dois filhos. Agora, com o marido e três filhos, ela nem acredita que tinha receio de ficar "entediada". Ela não consegue se lembrar da última vez que teve o luxo de ficar entediada!

Aquela mulher deixou de falar sobre leis ambientais e complexidades da legislação pública e passou a tratar do funcionamento do intestino, da quantidade de cocô do bebê e dos padrões de sono de seu filho.

Isso sempre acontece. Não importa quantos diplomas você tenha: assim que se tornar mãe, as três maiores questões de sua vida não serão leis governamentais, relações públicas ou o sentido da vida. Em vez disso, serão quanto seu filho precisa comer, como lidar com o choro e quanto tempo ele dorme. Chamo esses temas de "os três grandes" — porque são as três maiores questões que você enfrentará durante o primeiro ano de vida do bebê.

ELE É UM PEQUENO FAMINTO!

Ele é lindo e adorável, não é? Mas, gente, como ele come! Você pode ficar chocada com a quantidade e a frequência com que ele começa a ingerir, primeiro o seu leite, se você lhe dá o peito, e depois comida em geral.

Peito ou mamadeira?
Tenha em mente que seu filho cresce quase de minuto a minuto. A cada dia, novos componentes do corpo da criança — estrutura esquelética, cavidades ósseas e muito mais — se desenvolvem e são aperfeiçoados. A boa alimentação nunca é tão importante como nessa fase, e nada é mais saudável do que o leite materno. Isso não é dito para que você se sinta culpada se não puder amamentar (e existem apenas algumas poucas situações nas quais uma mãe simplesmente não consegue amamentar), mas simplesmente para expor os fatos. Diversos estudos mostram que os benefícios nutricionais e relacionais do aleitamento materno são impressionantes. A Associação Pediátrica Americana recomenda a amamentação ao peito pelo menos durante o primeiro ano de vida.

Nos primeiros seis meses de vida do bebê, só há de fato duas opções: leite materno ou leite industrializado. Embora sejam necessárias várias semanas para que o leite da mãe amadureça plenamente, a coisa mais impressionante é que seu leite vai de fato se adaptar às necessidades de seu filho. É isso mesmo! No miraculoso plano de Deus, o teor de gordura de seu leite passará por mudanças sutis, não apenas à medida que o bebê cresce, mas também durante o período individual de amamentação. Nenhum cientista consegue imitar completamente esse efeito.

A amamentação tem se provado útil em alergias, infecções e controle de peso. É um estimulante natural do sistema digestório do bebê. Como bônus, em caso de dificuldades financeiras, não há maneira mais econômica de alimentar um filho. A não ser que seu médico lhe diga o contrário, não há necessidade de qualquer tipo de suplemento durante os primeiros seis meses de vida de seu filho.

Dar de mamar pode parecer extremamente difícil para a mãe de primeira viagem. Praticamente toda nova mãe se derrama em lágrimas, dizendo: "Achei que seria fácil. Natural. Por que não funciona comigo?". Mas persevere um pouco — vai funcionar. Pode levar alguns dias para que seu filho aprenda a "pegar" o bico do peito e não soltar e, sim, ele precisará mamar por vários dias antes que o leite "desça", embora tenha a porção de colostro. Colostro é o leite mais grosso e mais escuro produzido pelas glândulas mamárias nos primeiros dias de amamentação. Tem pouca gordura, alta taxa de carboidratos, proteína e anticorpos e apresenta uma concentração mais elevada de fatores imunológicos do que o leite maduro. A La Leche League International [organização não governamental que estimula o aleitamento materno] o descreve como "uma vacina natural e 100% segura" contra doenças e infecções posteriores. É provável que demore um pouco para que seus mamilos sensíveis se adaptem aos constantes puxões da boca de um bebê faminto. Portanto, espere por dificuldades no início, em vez de se surpreender com elas. E entenda que aquilo pelo que você está passando é praticamente universal — mas os benefícios compensam em muito as lutas iniciais.

Com que frequência se deve alimentar?
Como você determina a quantidade de comida que seu bebê está recebendo?

Se estiver dando mamadeira, você tem leituras precisas na escala de dez mililitros. Mas, se estiver amamentando, como saber quanto sai de seu peito a cada mamada? A taxa de crescimento de seu filho é o melhor parâmetro para determinar quanto alimento ele está recebendo. O pediatra pode ajudar muito nesse caso. Se seu filho estiver crescendo numa taxa razoável, é seguro presumir que está recebendo leite suficiente. Mas não deixe que aquelas tabelas de peso e altura do consultório do pediatra a assustem. Lembre-se de que elas são exatamente isso — tabelas que representam a média dos bebês. Cada bebê é diferente. Se o peso, a altura e a circunferência da cabeça de seu filho estiverem se desenvolvendo normalmente e seguindo uma curva tradicional, ainda que ele seja menor ou maior que os bebês médios da tabela, você não tem nada com que se afligir. Se estiver preocupada, converse imediatamente com o pediatra, que, então, poderá abordar seu caso de maneira específica.

Em média, um recém-nascido deve se alimentar de seis a dez vezes por dia, o que significa intervalos de duas a quatro horas. Menos de seis vezes por dia e seu filho corre o risco de ficar desidratado. Qualquer coisa acima de dez vezes por dia e seus mamilos começarão a se parecer com chupetas mastigadas! Existem opiniões diferentes quanto à criança mamar pelo tempo que quiser. Fico no meio-termo. Seu corpo só pode produzir determinada quantidade. Depois das duas primeiras semanas, um bebê consegue obter 90% do leite nos primeiros cinco minutos de amamentação (por peito). Se você se sentir dolorida, pode usar um dedo ou uma chupeta para satisfazer a necessidade que seu filho tem de sugar.

Existe uma maneira ligeiramente mais prática de certificar-se de que seu bebê está recebendo comida suficiente: fique de olho nas fraldas. Deve haver de quatro a seis fraldas molhadas por dia e, depois de cerca de duas semanas de idade, três sujas por dia. Tudo isso se baseia em médias, é claro. Se você estiver realmente preocupada, ou se o seu bebê não parece estar nem perto desses números, converse com o pediatra.

A pergunta sobre alimentação que provavelmente escuto com mais frequência nos primeiros dias é se acredito que os bebês devam ser alimentados sob demanda. Quando se está falando sobre bebês, sim. Acredito que você deve alimentá-lo quando ele tiver fome. Você ouvirá muitos conselhos de outros sobre a "maneira correta" de fazer isso, mas tenha em mente o seguinte: nenhum de nós é feito da mesma maneira. Considere quão diferente você é de seus irmãos. Lembra-se daquele irmão que comia demais no café da manhã, devorando meia dúzia de pães, mas no almoço só tomava uma coca-cola e, então, se empanturrava outra vez no jantar? Talvez você tenha tido uma irmã que mal tocava no café da manhã, comia um prato cheio no almoço e tinha um jantar bem leve.

Somos todos diferentes, não é? É claro que sim! Portanto, por que esperar que todos os bebês sejam iguais? Ainda que você tenha dez bebês, provavelmente terá dez diferentes preferências alimentares. Deus não tem uma única fôrma para moldar todos nós. As Escrituras nos dizem que seu bebê foi criado "de modo especial e admirável".[1] O próprio Deus criou esta criança e cuidou atentamente dela dentro de seu ventre. Seu filho é uma criação singular; não há ninguém como ele em toda a terra!

Isso também significa que você não consegue de fato saber antecipadamente qual tipo de agenda alimentar seu filho vai seguir. A melhor maneira de estabelecer uma "agenda" é começar a alimentá-lo sempre que ele tiver fome. Você logo vai perceber que a natureza dele determina a que horas do dia ele quer comer.

Para algumas mães, pode ser bem difícil aceitar essa agenda livre. Você gosta que as coisas sejam feitas de acordo com as regras; infelizmente, *não há* uma regra quando se trata de preferências pessoais de uma criança. Deixe-me colocar a questão da seguinte maneira: haverá uma agenda, mas ela é ASA — "a ser anunciada". O "anunciante" será seu filho. Acredite em mim: os bebês têm uma maneira própria de anunciar seus desejos! Assim que você entender o ritmo natural dele, você e seu filho podem se acostumar a determinada rotina.

A notícia confortante é que, à medida que você se familiariza com a agenda de seu filho, as guerras alimentares terão fim. Praticamente todo bebê gosta de ser alimentado logo depois de acordar, mas o momento em que a fome aparecerá de novo depende em grande parte da criança. Leia seu filho como um livro e depois se encaixe naquela agenda. Você descobrirá em bem pouco tempo que criar filhos é um equilíbrio entre permanecer legitimamente no controle e ao mesmo tempo ser sensível às necessidades da criança.

Se você tiver mais perguntas, consulte o pediatra. Desconfie de qualquer sistema rígido que diga "É assim que tem de ser feito" ou que tente montar algum "método divino" que todo bebê deve seguir. Falando como psicólogo, quero lhe garantir que você não vai "estragar" seu filho por seguir a agenda de alimentação dele. Como e quando você o alimenta não vai determinar se ele será uma criança mimada, uma criança mal-humorada ou teimosa. Todas essas preocupações são válidas, mas não têm nada a ver com alimentação infantil.

Como fazer o bebê arrotar?

Parte do processo de alimentar seu filho envolve ser boa na produção do som favorito de uma mãe: o arroto do bebê. Toda criança precisa ser colocada para arrotar depois de cada mamada, mas, se não conseguir um arroto, não o force. Neste momento, você não é uma verdadeira especialista em arrotos, mas está prestes a se tornar. Você vai se surpreender ao ver quão boa vai acabar ficando na arte de produzir aquela linda "bolhinha". No começo, é provável que seus tapinhas sejam muito leves, mas não há problema. É melhor você ser mais gentil do que mais vigorosa quando se trata de uma criança pequena. Com o tempo, você descobrirá do que seu filho precisa para soltar aquele ar. Tentativa e erro são seus melhores guias aqui, porque cada bebê é diferente.

Bebês que mamam no peito devem arrotar antes de passar para o outro seio. Bebês alimentados com mamadeira precisam dar um bom arroto depois de ingerir de 40 a 60 mililitros. As três posições mais comuns para arrotar são as seguintes:

1. A cabeça do bebê repousa sobre seu ombro, você deixa o braço esquerdo sob o bumbum dele e, com a mão direita, você gentilmente lhe dá tapinhas nas costas.
2. O bebê fica deitado no seu colo, com o rosto para um dos lados, enquanto você bate de leve nas costas dele.
3. O bebê fica sentado no seu colo, enquanto você o apoia com uma mão e gentilmente bate com a outra nas costas dele.

Desfrute dos vínculos!

Depois de alimentar o bebê, não saia correndo para fazer a faxina. Se amamentar e estiver em casa, não se sinta na obrigação de abotoar a blusa. Espere alguns minutos e complete o processo de criação de vínculo. Acaricie seu filho, sinta o cheirinho dele e olhe para aqueles grandes e lindos olhos de bebê. Tocar seu filho é um presente maravilhoso; depois da comida e do ar, o toque é talvez o terceiro elemento mais importante da vida da criança nesta fase.

Esta é a época em que você começa o processo de estimulação tátil que dura a vida toda. Todos nós gostamos de ser tocados. Mas à medida que ficamos mais velhos, dificultamos as coisas para que outras pessoas nos toquem. Portanto, desfrute desse momento em que seu bebê facilita tanto a conexão. Ore por seu filho, cante suas músicas favoritas, faça cócegas, ria e acaricie a barriga dele. Os bebês adoram ouvir a risada dos pais!

HORA DE DORMIR

Uau! Passamos todo esse tempo falando sobre comida e, agora, vamos pular direto para a hora do sono. Já está cansada? Bem, não se preocupe. Você pode ser nova nessa coisa de ser mãe, mas seu filho também é novo nessa coisa de ser bebê. Juntos vocês conseguirão passar por isso.

Ajude o bebê a se ajustar ao período da noite
Como psicólogo, gosto muito da ideia de os pais levarem o bebê recém-nascido para o quarto deles e fazê-lo dormir num pequeno berço de vime ao lado da cama do casal. Dormir no mesmo quarto nas primeiras semanas é uma oportunidade maravilhosa de criação de vínculos, poupa o esforço de ter de atravessar a casa para pegar o filho que chora e tem o benefício adicional de colocar em descrédito quaisquer tentativas típicas do marido de agir como se estivesse realmente dormindo.

Verifique com o pediatra qual lado você deve deitar o bebê no berço, uma vez que as recomendações tendem a variar, e até mesmo os profissionais podem discordar entre si. De fato, agora a maioria diz que não existe uma "posição perfeita" para o bebê dormir; então, o melhor é deixar uma decisão como essa nas mãos daqueles que estiverem mais atualizados sobre as pesquisas.

Como um comentário à parte, se você tem um pediatra de confiança, não tenha vergonha de gastar um bom tempo falando com ele. O médico já prevê que passará um tempo mais longo com a mãe de primeira viagem. Na primeira consulta, não há razão para você se sentir compelida a sair sem que todas as suas perguntas tenham sido respondidas. Um bom pediatra vai apoiar o seu interesse e responderá pacientemente a todas as questões que você tiver.

Muitas mães me perguntam por que seu bebê chora à noite em vez de dormir. Você pode se surpreender com o fato de pesquisas contemporâneas sugerirem que os bebês só se tornam sensíveis à luz com cerca de 5 ou 6 meses de vida, o que explica por que seu filho consegue dormir profundamente ao meio-dia e parece ficar tão excitado à meia-noite. A hora de dormir não significa muita coisa para um bebê, pelo menos não como para um adulto.

Além disso, pense da perspectiva do bebê: ele acabou de sair de um corpo macio e aconchegante — o seu ou o da mãe biológica — e tudo é novo. Ele é abraçado o dia inteiro, ouve a mamãe falar, sente-se seguro porque seu corpo reconfortante está sempre por perto. Então, de repente, no final do dia, ele é depositado num quarto estranho e escuro para ficar ali sozinho.

Como você lidaria com isso? Em particular se fosse pequena demais para entender plenamente a diferença entre noite e dia? *Você* sabe que vai voltar para ele na manhã seguinte, mas será que *ele* sabe? (Nos primeiros meses de vida, os bebês não entendem a permanência de um objeto; quando algo é removido de seu campo de visão, eles acham que aquilo desapareceu.) Ele é apenas um bebê. Esteve com você o dia inteiro e, de repente, se vê sozinho, com pouca experiência para saber que você vai voltar. Pensar dessa maneira coloca o choro sob uma luz completamente nova, não é?

Assim que conseguir colocar seu filho um pouco mais na rotina — digamos duas ou três semanas após o nascimento — você pode começar a pensar em mudá-lo para o quarto dele. Quatorze dias é tempo suficiente para o bebê fazer o ajuste psicológico à sua presença no mundo, e você precisa preservar um pouco de espaço que seja totalmente seu. Se estiver preocupada porque acha que mudar o bebê para outro quarto vai impedir que você ouça o choro dele, compre uma babá eletrônica.

Tenha em mente que o bebê dorme em intervalos de tempo

Aqui estão as más notícias: ninguém consegue *fazer* uma criança pegar no sono. Mas também existem boas notícias: dormir é um processo bastante natural e, em média, o bebê dormirá de quinze a dezessete horas por dia. O problema é que essas horas serão divididas em blocos desiguais. Muitos bebês dormem durante o dia e ficam agitados à noite. Com o tempo — e aqui estamos falando de semanas, não de dias — você pode gradualmente ajudar seu filho a mudar a maior parte de seu período de sono para a noite. Mas, nos dois primeiros meses, cinco horas de sono ininterrupto se parecerão com o céu. Vá em frente e acorde seu bebê se a soneca do fim de tarde estiver muito longa, mas não suprima totalmente esse período de sono. De um jeito ou de outro, o estômago de seu filho precisará de comida a cada três ou quatro horas, de modo que há poucas chances de você conseguir dormir uma noite inteira sem interrupções.

Os pais de primeira viagem têm a tendência de tornar esses períodos normais de sono mais difíceis do que precisam ser. Conversei com muitas mães que desenvolveram elaboradas práticas para ninar os filhos; por exemplo, dando início a um ritual de uma hora de duração, que consiste em embalar a criança numa cadeira de balanço. Mas quero aconselhá-la a não iniciar um hábito que você não deseje manter para sempre. Assim que seu filho se acostumar a determinada rotina, é importante mantê-la, de modo que, quanto mais simples ela for, melhor.

Obviamente, fazer a criança dormir é apenas metade da batalha. Muitas vezes a preocupação maior é manter seu filho dormindo a noite inteira. Certa vez eu estava falando num congresso e alguém me perguntou:

— Dr. Leman, o senhor dormiu bem?

— Como um bebê — respondi. — Acordei a cada duas horas.

Cada bebê é diferente, é claro, mas, como regra geral, eles dormem muito e acordam muito. O problema é que, para muitos bebês, a rotina de sono que eles escolhem não será a ideal nem para a mamãe nem para o papai. Seu filho realmente não entende a necessidade que os pais têm de dormir por seis ou sete horas seguidas antes de ir trabalhar, e é raro um bebê que durma seis ou sete horas direto logo depois de chegar em casa vindo do hospital. Na verdade, é provável que o pediatra lhe diga para acordar o bebê a fim de que ele faça pelo menos uma amamentação noturna durante as duas primeiras semanas depois que vocês estiverem em casa.

Essa é uma das muitas razões pelas quais estou convencido de que o plano de Deus para a família é que haja tanto uma mãe como um pai. Não estou dizendo que você não vai conseguir se for mãe solteira, mas é certamente mais difícil. Se você tiver um marido, os dois juntos podem formar uma equipe, ainda que, como falamos no início deste livro, os maridos tenham a capacidade inata de se fingirem de mortos no meio da noite. Embora, no decorrer dos séculos, nós, homens, tenhamos desenvolvido e cuidadosamente preservado a habilidade de não mover nem um músculo sequer quando a esposa olha para ver se estamos dormindo, gostaria de relembrar-lhe um "axioma de Leman" que digo a todos os homens país afora: é simplesmente justo que, uma vez que nós, pais, estivemos presentes no lançamento do foguete, também estejamos presentes no pouso. E isso serve tanto para aqueles que ajudam a conceber filhos biologicamente quanto para aqueles que têm filhos por meio da escolha no processo de adoção. Um marido é bastante capaz de oferecer muito amor paternal a seu filho, e isso tem o benefício adicional de dar à esposa a chance de cair no sono pelo qual ela tão desesperadamente anseia.

Alguns maridos lançam mão do artifício "Tenho de trabalhar amanhã, enquanto você pode ficar em casa e dormir", mas eles dizem isso apenas porque nunca ficaram em casa o dia todo e, assim, provavelmente não percebem como a esposa dorme pouco. Entendo que esse é um período difícil. Vocês estarão cansados, e nenhum dos dois dormirá tanto quanto acha que necessita. Mas aquilo pelo que você está passando e o que está pedindo a seu marido que passe é uma fase normal da vida que mulheres e homens têm experimentado há séculos — e que não vai durar para sempre.

Isso não significa que, de vez em quando, vocês *não tenham a impressão* de que a fase está durando uma eternidade! Quando o bebê estiver doente, você provavelmente não dormirá bem porque ele não dormirá. Há algo nas mães que parece relacionar o sono delas ao de seu filho. Você pode ligar um vaporizador para ajudar o bebê a respirar, mas aposto que vai acordar a cada tosse.

Eu e Sande logicamente passamos por isso. A pequena Hannah era um sonho de criança, mas teve cólicas pelo menos até os 6 meses. As cólicas são um duro teste de paciência para os santos mais dedicados que já andaram pela face da terra. Seu bebê não dorme bem, por isso fica constantemente agitado; você não dorme bem, por isso fica constantemente irritada; seu marido não dorme bem, por isso vocês dois tendem a brigar... E a coisa prossegue assim, indefinidamente. Você pode se pegar perguntando: "Por que é que eu decidi fazer isso? O que é que eu tinha na cabeça? Tudo isso não passa de um trabalhão".

Esses são sentimentos normais que vão embora com o tempo. Felizmente, as cólicas são um pouco como a adolescência: não duram para sempre (apenas parece que é assim).

Descubra o ritmo natural do bebê — e ajuste-se a ele

O sono diário é semelhante à alimentação: cada criança é de um jeito. Desenvolva uma agenda baseada na observação de seu bebê e, assim que essa agenda se estabelecer naturalmente, tente mantê-la. Você tem de adaptar sua agenda à de seu filho se quiser regularidade. Em outras palavras, se ele costuma dormir às 19h30, não o leve para um curso que começa às 19 horas, nem saia para ir ao *shopping* depois das 18 horas. Planeje seu dia em função da agenda de sono do bebê e vocês dois serão muito mais felizes, porque logo se encaixarão num ritmo previsível.

Muitas mães ficam chateadas por seus filhos se mostrarem muito agitados em determinadas horas do dia. Eu costumo dizer: "Acostume-se a isso e aprenda a lidar com a situação!". A maior parte dessa frustração se deve ao fato de que a mamãe não dedicou tempo suficiente para conhecer o ritmo natural de seu filho e tentou fazer o bebê se adaptar à agenda dela. Não é porque você consegue acordar às 6 horas para se arrumar e sair para o trabalho que seu filho vai conseguir se adaptar ao seu horário. Talvez não seja cômodo para você colocar o bebê na cama às 19 horas e acordar com ele às 4 horas, mas é encrenca na certa planejar uma grande reunião que só começa depois das 19. Certamente você ficará frustrada por seu bebê estar tão agitado. É claro que ele está irrequieto: está cansado e já passou sua hora de dormir!

A boa notícia é que a rotina do sono muda rapidamente. Os primeiros dez dias serão muito diferentes dos primeiros dez meses, e, na verdade, as rotinas não vão parar de mudar até que seu filho abandone as sonecas. Aos 2 meses, seu filho será fisicamente incapaz de dormir a noite inteira sem precisar ser alimentado. Aos 3 ou 4 meses, a maioria dos bebês (mas certamente não todos) se alimenta apenas uma vez durante a noite ou chega a dormir a noite inteira. Nesse período, você pode ser um pouco mais ousada em relação a deixá-lo chorar. É sua função ajudá-lo a distinguir uma soneca do sono normal, de modo que ele possa começar a ter uma ideia do que está acontecendo. Para isso, crie um novo ritual para a hora de dormir — dê um banho, cante uma música especial, escureça o quarto, dê ao bebê um cobertor ou um brinquedo especial. Faça algo que indique que esse sono é diferente de uma soneca comum — e mantenha essa rotina, mas não se esqueça de mantê-la viável com relação aos horários.

Lembre-se: você é a mãe. É você quem está no controle. Se o bebê começar a dormir mais durante o dia do que à noite, é sua função fazê-lo inverter isso. Acorde-o de sua soneca após o almoço, brinque com ele de maneira um pouco mais intensa antes de colocá-lo na cama, de modo que esteja mais cansado e pronto para dormir a noite toda, e dê um pouco mais de alimento. Pode ser que você tenha de ajudar seu filho a encontrar um ritmo de sono aceitável.

CHORO

Um lembrete a você, mãe: os bebês choram. É isso o que eles fazem.

Chorar faz parte da existência humana. Choro ao ler o caderno de esportes ou ao ver o que está acontecendo com meu fundo de previdência privada quando o mercado financeiro não está favorável. Às vezes choro quando meu contador me diz quanto devo de imposto de renda. Aposto que você já chorou ao ver alguns comerciais tocantes.

Com o passar do tempo, você aprendeu a determinar quando é apropriado e até saudável chorar, e quando você deve ser mais reservada. Também já aprendeu a chorar sem esperar que o mundo pare ou a não gritar como se a casa estivesse pegando fogo.

O bebê ainda não sabe nada disso. Ele chora por diversas razões. Talvez esteja molhado, talvez desconfortável; talvez uma peça de roupa esteja incomodando, talvez não goste da posição em que está; talvez esteja com fome ou cansado, ou talvez precise apenas colocar para fora um pouco de excesso de energia.

Aprenda a "ler" o choro de seu filho
O importante é que você conheça seu bebê tão bem que aprenda a "ler" o choro dele. É mais ou menos como o seguinte: no verão, vamos para o estado de Nova York e compartilhamos nossa casa de veraneio com dezenas de patos. Odiaria dizer quanto gasto em quirera: nossos patos adoram aquela coisa, de modo que compro sacos de 30 ou 50 quilos. Isso mantém as aves por perto. Ao observá-las, fico impressionado ao ver como as mamães patas conhecem bem seus filhotes. Normalmente os patos vêm à nossa casa em grupos familiares. Embora eu goste deles, tenho de admitir que, se você já viu um pato, viu todos. É difícil diferenciá-los — mas a mamãe pata conhece seus patinhos!

Se um marreco se aproxima dos filhotes, a mamãe pata, normalmente dócil, se transforma num *pit bull*. Ela abaixa a cabeça como um jogador de futebol americano e ataca, grasnando alto enquanto arranca penas da cauda do marreco! Algumas dessas mães têm de oito a doze filhotes. A mãe está sempre alerta, olhando em volta, tomando conta de cada um de seus filhotes, mesmo que eles estejam misturados com outros grupos.

Você precisa ser igual — tão sintonizada com seu filho a ponto de conseguir reconhecer o choro dele no meio de um berçário ou de um grupo de crianças. Já conversei com muitas mães que, depois de certo tempo, são capazes de detectar a menor diferença de um choro de fome de, digamos, um choro de fralda suja. A diferença pode ser imperceptível para outras pessoas, incluindo o marido, mas, como mãe, você conseguirá perceber, e acertará em 90% das vezes. Você será capaz de dizer quando seu bebê chora porque quer atenção e quando chora por dor ou desconforto.

Entenda que os bebês precisam chorar
Quero lhe assegurar que, assim como acontece no estabelecimento de uma rotina de alimentação, você não vai prejudicar a psique de seu filho ao deixá-lo chorar. O fato é que os bebês *precisam* chorar. É fisicamente saudável para eles e, até que aprendam a falar, é a maneira mais fácil de se comunicar. Quando se trata de uma criança bem nova, acredito que o melhor seja reagir imediatamente ao choro. Quando o bebê chegar aos 2 meses, porém, será preciso se conter um pouco.

Digo isso porque, ao lidar com o choro de seu filho, você precisa encontrar o equilíbrio. Por um lado, ele é um pequeno hedonista que vai amarrá-la em volta de seu dedinho se você deixar. Por outro lado, ele depende completamente de você e tem dificuldades para fazer que você saiba do que ele precisa — afinal, você é mãe de primeira viagem

Se você corre para confortar seu filho todas as vezes que ele faz careta ou franze a testa, provavelmente está extrapolando. Se você estiver sempre pairando sobre seu filho, reagindo a tudo o que ele fizer, estará ensinando a ele que a melhor maneira de obter atenção é ficando agitado.

Apenas relaxe. Às vezes, quando o bebê é colocado para dormir, ele chora, e isso é bom. Deixe-o chorar. Bebês saudáveis, na maioria, param de chorar logo nos primeiros dias se o choro não provocar a reação que eles esperam.

Se o bebê for um pouco maior — digamos de 5 ou 6 meses — e estiver chorando, verifique a fralda, considere quando ele fez a última refeição, pense se ele pode estar cansado, sinta a temperatura e certifique-se de que a roupa não esteja machucando. Se tudo parecer bem, presuma que seu bebê simplesmente precisa chorar — e deixe que ele o faça. Alguns bebês têm necessidade de chorar antes de pegar no sono.

Recentemente, uma experiente mãe de quatro filhos compartilhou comigo uma reflexão que vale ouro: "Precisei aprender que, às vezes, os bebês choram sem nenhuma razão, e que não há nada que eu possa fazer em relação a isso. Eu considerava uma ofensa pessoal toda vez que o bebê parecia minimamente infeliz, como se eu pudesse 'curar' qualquer coisa. Mas sabe de uma coisa? Meu marido me ama, mas ele não consegue tirar de mim a dor de cabeça, a dor de estômago ou a câimbra! Posso colocar pomada na assadura de meu filho quando for preciso, mas ainda assim haverá algum desconforto. Não é realista imaginar que você possa ter um bebê que seja permanentemente feliz. Enquanto vivermos no mundo real, haverá desapontamentos, limitações, ferimentos e dores ocasionais. Tanto os bebês quanto as mães precisam aprender a conviver com isso".

Você não é um fracasso como mãe só porque seu bebê chora muito. Não leve isso para o lado pessoal. Todo bebê chora pelo menos uma hora por dia, e alguns podem chorar até quatro horas por dia. *Acima de qualquer coisa, não chacoalhe seu bebê para que ele pare de chorar, e nunca bata numa criança pequena.* Isso não vai mostrar ao bebê que você está "falando sério"; vai apenas agitá-lo ainda mais — além de haver um sério risco de dano cerebral. Se você perceber que está perdendo o controle por causa de um choro constante que a deixa louca, chame imediatamente seu marido, uma amiga ou uma vizinha e seja honesta: "Preciso muito de um tempo, pois tenho medo de machucar meu filho. Você poderia vir até aqui?". Não há nem sequer uma mãe no mundo que não fique frustrada de vez em quando; ou seja, você não é uma mãe ruim. Mas, já que você é adulta, é importante ser proativa, buscando alívio da exaustão causada pelos ataques de choro, em vez de ser reativa, descontando sua frustração no bebê, que está simplesmente fazendo "o que é natural". Falaremos mais sobre isso no capítulo 4.

Técnicas para lidar com o choro
Lembre-se de que cada criança reage de maneira diferente, mas aqui estão algumas técnicas comprovadas para lidar com o choro. Se uma não funcionar, tente a próxima!

- Embale o bebê numa cadeira de balanço.
- Envolva o bebê numa manta, de modo bem firme.
- Segure o bebê e balance-o gentilmente de um lado para o outro.
- Cante ou toque uma música suave.
- Dê um banho quente.
- Leve o bebê para passear de carrinho ou no carro.
- Coloque o bebê deitado junto de uma bolsa de água quente numa temperatura agradável ao toque.
- Faça uma massagem relaxante usando óleo para bebês.
- Ofereça uma chupeta. Os modelos de hoje não causam problemas aos dentes.
- Tente um balanço para bebês, particularmente um que tenha som de tique-taque.

Se você começar a ficar muito cansada, este é um exercício bastante útil: pegue um calendário e uma caneta, conte oito semanas a partir de hoje e faça um grande círculo. Em algum momento perto desse círculo seu filho finalmente começará a dormir a noite inteira. Desde que esteja alimentado e que tenha arrotado antes de ir para a cama, ele conseguirá ir até a manhã seguinte, dando a você a primeira noite de descanso depois de muito tempo. A noite do bebê pode durar apenas seis ou sete horas, mas serão mais do que as duas ou três de um recém-nascido.

De vez em quando, encontro mães que não conseguem uma noite completa de sono há mais de um ano, especialmente porque os últimos meses de gravidez não foram muito tranquilos. Apenas continue lembrando a si mesma que isso também passará. Você pode se sentir como se fosse uma garçonete de tempo integral ou uma trabalhadora braçal de uma fazenda, mas as coisas vão melhorar. Eu garanto.

PERÍODO PRECIOSO

A maneira como seu filho se sai nos três grandes — alimentação, sono e choro — influencia muito o nível de satisfação que você experimentará nos primeiros seis meses de vida dele. Se o bebê estiver comendo bem, dormindo pelo menos seis horas por noite e chorando somente quando necessário, você vai se sentir a mulher mais feliz da face da terra.

Pode ser que você seja a mãe de um bebê que devora leite materno, imediatamente põe tudo para fora e então quer mamar mais, embora você tenha certeza de que a bomba de gasolina está vazia. Infelizmente, seu bebê não está convencido disso e está determinado a transformar seu seio numa chupeta. A tendência é que esse bebê a acorde várias vezes durante a noite.

Aqui está o verdadeiro desafio: como mãe de primeira viagem, você não sabe realmente se seu bebê é fácil ou difícil, porque não tem outro a quem compará-lo. Algumas mães se surpreenderão com a facilidade de comparar o bebê número um com o bebê número dois, se tiverem outros filhos ao longo da vida. Algumas percebem que o comportamento que achavam ser extraordinário é de fato bastante normal e baixam as expectativas em relação aos outros filhos. Mas comparar o filho de seu amigo ou de sua irmã (que não vive com você) com o seu filho é como comparar melancias com uvas — os bebês agem de maneira diferente em diferentes horas do dia. Você vive com seu filho vinte e quatro horas por dia, sete dias por semana.

Sem levar em conta se seu filho parece difícil ou fácil, espero que você se dedique a essa temporada como um período muito precioso. Esta é sua estreia como mãe, e você nunca passará por isso outra vez. Será diferente com o segundo filho e quase uma questão de rotina com o terceiro (se você decidir continuar), quarto ou quinto filhos. Mas você nunca terá outro período parecido com este.

A despeito do cansaço de agora, um dia você olhará para trás, para esta época, com grande carinho; pode ser que seus olhos se enchem de lágrimas. A exaustão não parecerá tão intensa, a frustração ficará um pouco distante, e você provavelmente vai rir por ter levado tudo tão a sério e por ter carregado sabonete antibacteriano a todos os lugares aonde ia. Mas você sentirá falta destes dias. Talvez não queira revivê-los, mas sentirá falta deles.

Acredite em mim, você terá saudades.

CAPÍTULO 4

O primeiro ano

Bem-vinda à roda-gigante das emoções pós-parto!

Esta é uma hora tão boa quanto qualquer outra para tocar num assunto importante para quem recentemente deu à luz seu primogênito: se você fizesse um gráfico de suas emoções e de seus hormônios neste momento, ele se pareceria com o das ações da bolsa de valores: em alta num minuto, subindo como se fossem para o pico do Everest, para, em seguida, dar um mergulho no mais profundo abismo. Então, o que está acontecendo?

Logo após o parto, seus hormônios ficam totalmente desregulados. Os níveis de estrogênio caem drasticamente; a progesterona também entra em queda, assim como a função da tireoide. Para piorar as coisas, certos hormônios de controle do humor — como a dopamina e a serotonina — também caem. Em resumo, toda carga química extra que seu corpo liberou para ajudá-la a passar pela gravidez e pelo parto está agora sendo drenada de seu organismo. Aquela enorme sensação de estar sendo sugada não está em sua cabeça — é um fato fisiológico. Num momento, você não consegue parar de beijar seu bebê. Duas horas depois, você se sente emocionalmente morta e se senta ali, no escuro, enquanto seu bebê não para de chorar; você se sente incapaz de reunir energias para cuidar dele.

TRISTEZA PÓS-PARTO

Você se sente exausta, insegura, irritada — mas sem saber por quê? Paranoica e amedrontada? Triste?

Essas são mudanças emocionais normais que algumas mães novatas experimentam. Embora isso possa ser bastante angustiante, não é nada com que se deva preocupar demais. A tristeza pós-parto ocorre com cerca de 80% das mães de primeira viagem, resultando em mudanças significativas de humor durante as primeiras semanas depois da chegada do bebê. Portanto, relaxe: você não é a única a lidar com esses sentimentos. Se escolheu seu filho por meio da adoção, talvez você experimente emoções similares (embora elas não derivem de alterações hormonais) por causa do estresse da mudança de vida, da falta de sono e da exaustão geral decorrentes da responsabilidade por este novo membro da sua família.

Aquilo que você ouviu na mídia sobre mulheres que fizeram mal a seus próprios filhos é algo completamente diferente — e um assunto muito mais sério. Trata-se da chamada depressão pós-parto, que é mais rara do que se possa imaginar: ocorre em cerca de duas em cada mil mães iniciantes. Esse tipo de depressão, assim como outros casos diagnosticados da doença, requer cuidado terapêutico. Já tive, por exemplo, algumas pacientes que apresentaram reações psicóticas ao parto. Uma mãe correu com seu filho ao hospital convencida de que ele estava morto. Os médicos examinaram o bebê e declararam que a criança estava muito bem. Lá pela terceira visita da mãe, os médicos finalmente compreenderam o que estava acontecendo e prescreveram remédios adequados e terapia — para a *mãe*.

Durante o primeiro ano é realmente uma boa ideia conversar com uma amiga que já tenha passado pela experiência de cuidar de um filho pequeno. Você também pode se juntar a algum grupo de apoio a novas mães, onde entrará em contato com várias perspectivas e poderá encontrar consolo para as áreas comuns de dificuldade enfrentadas pelas mães.

Não espere que seu marido entenda. Sem ofensas, mas ele é um homem. Ele nunca passou pela experiência física de dar à luz um bebê e de ter toda a composição química de seu corpo alterada. E, como pai de uma criança gerada ou escolhida, ele, como homem, nunca passará nem perto de toda a gangorra emocional que você experimenta com seu filho diariamente. Além disso, se você está no estágio da tristeza pós-parto, é provável que seu marido esteja enfrentando o impacto de sua raiva repentina e de suas baixas de humor, e talvez precise de um escape — conversar com outros pais que já enfrentaram essa tempestade! Portanto, você *precisa* conversar com outra mãe que entenda pelo que você está passando.

Portanto, se de repente seu filho começar a fazer você subir pelas paredes ou se você estiver ameaçando seu marido como se ele fosse seu inimigo número um, desconfie que a tristeza pós-parto possa ser a culpada. As pessoas mais próximas de você têm maior probabilidade de sofrer o impacto de suas mudanças de humor. Se você começar a apresentar tendências suicidas ou tiver pensamentos de ferir seu bebê, busque ajuda terapêutica imediatamente. Não tome decisões importantes ou precipitadas durante esse período. Tenha consciência de que parte da hostilidade que você sente pode estar baseada em estresse e hormônios — e ser mais do que um reflexo preciso dos seus sentimentos.

Não posso lhe dar uma prescrição infalível para sair desses momentos de baixa, porque cada mulher tem um remédio diferente. Algumas se saem muito bem ao voltar a trabalhar, ou simplesmente ao dar uma longa caminhada num parque. Para estas, os exercícios podem ser o melhor remédio. Algumas outras precisam rir — para elas, pode ser bom alugar algumas comédias ou, melhor ainda, ir ao cinema. Há quem precise de um banho quente e um bom romance para ler. Embora eu saiba que o peso pode ser uma preocupação neste momento, considere a ideia de dar a si mesma um bom tratamento: chocolate, sorvete ou outra comida "consoladora". Não exagere, mas tome a liberdade de se mimar um pouco. Tomar sol costuma ser um ótimo tônico; existe algo no sol que parece atingir nossa alma.

Assim como seu corpo está se recuperando fisicamente, sua mente também precisa se ajustar à grande mudança que acabou de acontecer. Você deixou de ser um bebê, tornou-se adolescente, depois adulta e, agora, mãe, com uma enorme responsabilidade sobre outra vida. Dê a si mesma algum espaço para o ajuste. Você acabou de passar por uma das fases mais significativas da vida, e está cuidando de mais coisas agora do que achava que seria possível antes de essa criança tornar-se sua. Neste capítulo, falaremos sobre algumas das áreas fundamentais — como menus e agendas, conversas e tempo de leitura, disciplina e brincadeiras.

O MENU E A AGENDA DE SEU FILHO

Em algum ponto do primeiro ano de vida de seu filho, você pode começar a apresentar a ele os alimentos sólidos. Recomendo-lhe conversar com o pediatra para saber o melhor momento de fazer isso com seu filho em particular. Por causa do reflexo de protrusão da língua, uma criança com menos de 4 meses em geral não consegue comer comida sólida; ela simplesmente a expulsa da boca com a língua. Contudo, aos 5 meses, esse reflexo deve ter desaparecido.

Relembro mais uma vez que falo como psicólogo, não como médico, de modo que é dessa perspectiva que quero enfatizar que você não deve permitir que a introdução de alimentos sólidos degenere para brigas de poder. Se seu filho de 6 meses parece não querer comida sólida, não há por que você se incomodar em imitar todo tipo de avião para tentar enfiar a comida na boca do bebê. Volte para a amamentação ou para a mamadeira e tente novamente um ou dois dias depois.

Também não espere muita coisa cedo demais. Em outras palavras, não se exponha ao fracasso. Seu bebê nunca comeu alimento sólido. Se você conseguir segurá-lo no colo e se ele comer meia colher na primeira tentativa e, depois, colocar a segunda para fora, você já progrediu. Pare ali e tente de novo mais tarde.

Você já leu isto neste livro, mas vou repetir: os pais de primeira viagem têm a tendência de ficar muito nervosos e tentar fazer o bebê se encaixar numa agenda controlada. Mas lembre-se que, desde que seu filho esteja recebendo nutrição apropriada e crescendo num nível aceitável, não é uma "questão de vida ou morte" se ele só começar a aceitar alimentos sólidos aos 6 ou 7 meses.

Se você quer que as refeições sejam prazerosas, por que dar início ao hábito das guerras de alimentação?

Gosto da maneira como minha esposa ajudou nossos filhos nesta área. Sande usava o processador de alimentos para fazer a papinha, amassando vegetais e outros itens do menu para criar nas crianças o gosto por vários tipos de comida. Quando adolescentes, nossos filhos de fato brigavam por brócolis. Ora, você talvez não tenha tempo, oportunidade ou inclinação para amassar a comida de cada refeição de seu filho. Mas o ponto é o seguinte: seus filhos em breve descobrirão o açúcar. A Coca-Cola, a Pepsi e as fábricas de chocolate gastam bilhões em anúncios para garantir que isso aconteça. Certamente não há necessidade de se apressar. Ao reduzir o açúcar e dar alimentos saudáveis a seu filho, é menos provável que você enfrente as guerras alimentares sobre as quais tantos pais querem conversar comigo no consultório. As crianças ficam com fome e comem o que tiver se nada mais estiver disponível a elas. Quanto mais cedo elas adquirirem gosto por comida saudável, menores serão as chances de surgirem guerras alimentares daqui a um ano ou dois.

Se você adotou uma criança mais velha ou que já ande, especialmente se ela veio de outro país, é possível que ela já tenha adquirido alguns gostos alimentares, ou ao menos já existem coisas que lhe são familiares ou não. O melhor plano para ampliar o horizonte alimentar de seu filho pode ser alimentá-lo com a comida que você sabe que ele gosta e, então, gradualmente, introduzir algumas pequenas porções de alimentos que sejam "novos para suas papilas gustativas", um por vez, tudo num ambiente alegre e descontraído. Forçar seu filho a comer só vai antecipar a guerra alimentar que você está tentando evitar.

QUANDO O BEBÊ DEVE FALAR?

Como mãe, você terá grande influência sobre a habilidade de seu filho de se comunicar. Seu bebê vai ouvi-la falar mais do que qualquer outra pessoa e aprenderá a seguir seus padrões de fala. A melhor maneira de ensinar um bebê a falar é modelar a sua própria fala, sempre com cuidado. Não há problema em usar o tatibitate no início, mas você deve mudar completamente para o padrão normal de fala a partir do sexto mês.

Ao lidar com um bebê, penso que é melhor evitar pronomes (eu, você, ele) e, em vez disso, usar nomes ou títulos:

- Samanta quer comer? Samanta está com fome?
- Papai chegou! Você está vendo o papai?
- Dê um beijo na mamãe!

Isso acaba mostrando à criança que todo mundo tem um nome. Seu bebê deverá entender o próprio nome por volta do quinto mês e a palavra *não* perto do nono mês. Aos 10 meses, seu filho deverá começar a responder a pedidos falados, mostrando que entende o que você está dizendo. Entre 10 e 18 meses, você pode esperar ouvir as primeiras palavras de seu filho. (Os bebês começam a balbuciar muito antes disso, e muitos pais de primeira viagem podem "interpretar" esse balbucio como palavras reais — na maioria dos casos, porém, uma criança com 4 ou 5 meses que "fala" uma palavra simplesmente teve a sorte de combinar os sons corretos.)

Uma vez que você é mãe de primeira viagem, tenho de enfatizar: todo bebê se desenvolve de acordo com o próprio ritmo, e o ritmo de desenvolvimento não está diretamente relacionado ao Q.I. O simples fato de seu bebê não começar a falar até os 18 meses não significa que ele é menos inteligente que o filho do vizinho que começou a falar aos 10 meses. Alguns bebês desenvolvem coordenação motora antes da linguagem ou vice-versa. Não pode haver uma "corrida" entre bebês.

Entretanto, se seu filho não falar nenhuma palavra aos 18 meses, você talvez deva consultar um profissional para uma avaliação. Antes dos 18 meses, apenas relaxe e continue curtindo seu bebê e brincando com ele. O pediatra é capaz de ouvir os sons de seu filho muito antes disso e garantir que ele está dentro de um padrão normal de desenvolvimento.

Eis a ironia: muitos pais que se preocupam e questionam "Quando meu filho vai falar?", poucos meses depois perguntam: "Quando ele vai ficar quieto?". Coisas assim colocam a fala na perspectiva correta, não é?

LEIA, LEIA E LEIA MAIS!

Uma das coisas mais maravilhosas que os pais podem fazer por um filho é ler para ele. Portanto, pegue um livro infantil bem grosso, coloque o bebê no colo e leia em voz alta. Essa atividade constrói intimidade e vínculo entre vocês dois, envolve estimulação tátil e ajuda o bebê a desenvolver a compreensão da fala.

Os bebês adoram olhar livros — especialmente aqueles que têm figuras de outros bebês. Eles gostam de livros ilustrados, e o assunto favorito deles normalmente são outros bebês. Hoje em dia, felizmente, as editoras publicam livros de pano, ideais para crianças pequenas porque podem ser lavados e são macios ao toque. Ao ler para um bebê, você não está tentando ensiná-lo a ler; está permitindo que ele se familiarize com o som das palavras. À medida que a criança ficar mais velha, você pode usar esses mesmos livros para o ensino básico: "Onde está o seu nariz? E a sua boca? E os lábios?".

DISCIPLINA

Falaremos bem mais sobre este assunto quando tratarmos da próxima fase do desenvolvimento infantil, mas há algumas poucas coisas que quero mencionar aqui, uma vez que existe diferença entre disciplinar uma criança de colo e outra que já consegue andar.

A melhor das disciplinas com crianças pequenas que ainda estão aprendendo a falar e começando a andar é simplesmente pegá-las e retirá-las daquilo que estão fazendo. Nessa fase, a criança é naturalmente curiosa. Não interprete coisas demais a partir de suas ações. Simplesmente a distraia e evite o jogo de poder.

Esforce-se para minimizar o uso da palavra *não*. Os pais de primeira viagem, em particular, usam a palavra *não* com tanta frequência que as crianças ficam indiferentes a ela quando chegam aos 6 meses. Conheço um treinador de cães que me disse que raramente usa a palavra *vem* quando treina um cachorro, porque a palavra perdeu o valor antes de ele ter contato com o cão. Um bom treinador nunca repete um comando. Com 3 meses de idade o cão já ouviu "Vem, Rosie, vem cá. Vem aqui, vem. Isso, vem aqui!", e o termo *vem* não significa nada para o cão a essa altura. Se o animal desobedecer ao comando e não for punido por isso logo nos primeiros meses de vida, será extremamente difícil treiná-lo usando a mesma palavra. É muito mais eficiente escolher uma palavra totalmente diferente.

O mesmo princípio se aplica aos pais, aos bebês e à palavra *não*. Ela é usada em excesso. Escolha outra palavra para as grandes questões, porque você vai precisar dela quando houver uma maior urgência. Se, por exemplo, a criança pega um travesseiro e você diz "não, não, coloque o travesseiro no chão", não há uma razão convincente para que uma criança de 1 ano considere que a palavra *não* tem alguma importância quando ela tentar colocar um garfo na tomada elétrica! Você vai precisar de uma palavra que seja reservada para uma urgência real, dita com tal força que vai pelo menos fazer que seu filho estremeça.

Os pais costumam falar sobre tornar a casa "à prova de bebês", referindo-se a medidas para torná-la mais segura. Mas creio que é igualmente importante preparar a casa para evitar disciplina desnecessária. Remova os itens frágeis que possam chamar a atenção natural da criança pequena. Quando ela insistir em pegar algo que não deveria, recorra à distração: dê-lhe alguma outra coisa e ela se esquecerá imediatamente do item proibido. Mantenha seu filho sob fronteiras e limites ao mesmo tempo que se empenha para criar um ambiente que não seja desnecessariamente tentador. Se eu estiver fazendo dieta, não quero ter sorvete em casa. Se tenho um filho pequeno, não deixo cristais caros ao seu alcance. Por que flertar com a tentação?

Não creio que bater seja apropriado antes dos 2 anos, e penso que a prática deve ser interrompida a partir dos 6. Eu costumava dizer 8 anos, mas, com o passar do tempo, reduzi a idade. Quando a criança completa 6 anos, existem muitas outras coisas que você pode fazer que não seja bater. O segredo é descobrir o que é importante para seu filho — que tipo de disciplina causará mais impacto. Algumas crianças odeiam ficar isoladas de você ou dos irmãos, de modo que a ordem de ficar sentada sozinha num outro cômodo por cinco minutos é uma disciplina que realmente funciona. Em outras ocasiões, pode ser a perda de um privilégio — como uma comida especial, o programa de televisão favorito ou não ir a uma festa de aniversário.

Se você vai bater de alguma forma, use sempre a mão aberta sobre o traseiro de seu filho. Nunca use nada que possa deixar qualquer tipo de marca. Isso não apenas é ilegal, como o fato de deixar marcas constitui abuso. Bater tem o propósito de corrigir um comportamento, não de marcar o corpo. Se você bater forte o bastante a ponto de deixar uma marca, significa que passou dos limites. É por isso que você deve estar no controle de suas emoções antes de bater. Você é grande demais e forte demais em relação a uma criança pequena para se descontrolar de raiva. Se não estiver no controle de suas emoções, não bata.

É por isso que acredito que bater deve ser uma atitude bastante rara. Reserve-a para "as grandes questões" e casos sérios de rebeldia, não para a simples imaturidade. Em muitos casos, tudo o que os pais precisam fazer é lançar um olhar severo ou usar um tom de voz mais duro para interromper o comportamento indesejado. Algumas crianças, até mesmo as menores, conseguem entender explicações simples sobre a razão pela qual você não quer que elas se comportem de determinada maneira (como sair correndo pela rua). Nossa filha mais nova tem agora 10 anos. No total, ela apanhou uma única vez em toda a sua vida. Se tudo o que você estiver fazendo para disciplinar for bater, existe algo de errado no relacionamento.

Outra advertência aqui: se você sofreu abuso físico quando criança, recomendo que evite totalmente bater em seu filho. A bagagem que você carrega é grande demais e muito perigosa para brincar nesse campo. Existem outras formas de disciplina (veja meu livro *Faça a cabeça de seus filhos — sem perder a sua*) que seriam mais apropriadas para o seu caso.

Tenha em mente que a dor da palmada é igual em importância ao olhar sério da mãe, ao tom de voz e *à conduta dela* que comunicam a seriedade do momento. Seu filho conseguirá ler tudo isso muito bem sem ser atingido fisicamente. Embora eu não exclua totalmente as palmadas como forma de disciplina, creio que elas devem ser usadas apenas como último recurso e como um componente da reação como um todo. Antes de bater, porém, garanta que seu filho tenha uma explicação apropriada à idade dele sobre por que ele está apanhando. Isso permite também que você respire fundo por um instante, esfrie a cabeça e pense de maneira racional antes de agir.

Depois das palmadas, você precisa abraçar seu filho, colocá-lo no ombro e reafirmar a ele que você o ama. Mas também enfatize que ele não pode continuar a agir daquela maneira. Converse calmamente e de modo amoroso, e transforme todo o episódio num evento. Se você não tiver tempo de falar com seu filho e de tranquilizá-lo, então não bata. Ir até ele com raiva, dar um golpe rápido e não ensiná-lo é, em minha visão, uma péssima maneira de criar filhos. Dar umas palmadas pode ser necessário como *parte* do processo, mas é preguiça absoluta usar isso como o processo inteiro.

A OPORTUNIDADE DE TODA UMA VIDA

Você está entrando em um ano bastante especial. Nunca mais, em toda a sua vida, você passará outro primeiro ano como mãe de primeira viagem juntamente com seu primogênito. Portanto, aproveite.

Assim que seu filho completa alguns meses de vida, você realmente começa a ver a personalidade dele se desenvolver. Portanto, desfrute dessa fase. Conheça a personalidade que Deus deu a seu filho. Cada criança tem suas peculiaridades. Nossa segunda filha, Krissy, tirava os fiapos de seu cobertor, fazia uma bolinha e colocava no ouvido e no nariz. Nenhum de nossos outros filhos fez isso (graças aos céus!), mas Krissy adorava fazê-lo.

Cada criança tem sua marca de nascença individual. E este seu primogênito gosta das coisas de uma maneira muito particular. Você descobrirá, por exemplo, que seu filhinho pode adorar seus quadris. Você está preocupada porque está engordando, mas quadris grandes formam ótimos berços e locais de descanso, e os bebês adoram se aninhar. Cada criança encontrará um lugar no seu corpo que ela considera bom e aconchegante. Quando você tiver mais filhos, descobrirá que o número dois e o número três provavelmente escolherão um ponto diferente. Portanto, faça os ajustes necessários — e apenas desfrute disso.

Enfatizamos a importância de, nos primeiros dez dias, você descansar e criar vínculos. Logo após esse período, durante o primeiro ano, continue se divertindo com seu filho. Isso significa muito tempo para criar vínculos e brincar, sem pressa. Os bebês adoram brincadeiras — e as mais simples parecem ser as favoritas. Acredito tão sinceramente no ato de brincar com crianças pequenas que incluí "Brincadeiras para entretenimento com o bebê" no final deste livro. Experimente algumas delas e crie as suas próprias também. À medida que vocês brincam juntos, não vai demorar muito para você descobrir o ritmo de brincadeiras de seu filho. Você descobrirá o que o faz rir de maneira especial. Portanto, ria bastante — *junto com ele*. Será um tempo bem investido no relacionamento para a vida toda.

Este será um ano especial na sua vida e na vida do seu filho. Aproveite!

CAPÍTULO 5

Os dez erros mais comuns dos pais de primeira viagem

No consultório, no rádio e em seminários por vários pontos da América do Norte, falei a inúmeros pais de primeira viagem. Com o passar das décadas, acabei me familiarizando com os erros iniciais dos pais do mesmo modo que os médicos se familiarizam com doenças comuns. Aqui estão os erros que os pais de primeira viagem mais tendem a cometer — e o que você pode fazer caso se veja cometendo alguns deles.

1. OLHAR CRÍTICO

Qual é o seu padrão de comportamento? É a perfeição? Seu objetivo é criar um manequim computadorizado que fará tudo o que você disser, assim que disser?

Se é assim, deixe-me fazer uma pergunta. Quando foi a última vez que *você* teve um dia perfeito? Quando aconteceu o último período contínuo de vinte e quatro horas em que você não pronunciou uma única palavra torta nem respondeu com um pouco de lentidão a pelo menos um pedido? Quando foi que você manteve uma atitude positiva durante um dia *inteiro*?

Há uma razão para eu ter escolhido esta como a primeira armadilha na qual os pais de primeira viagem estão propensos a cair. Vocês nunca criaram um filho. Vocês pensam como adultos. Sua tendência será a de tentar criar a criança "perfeita" e vocês podem enterrar seu filho debaixo das elevadas expectativas que têm para ele.

Nunca se esqueça de que educar leva tempo e de que o padrão não é a perfeição. Quando você prepara uma refeição, ela sai sempre perfeita? Quando estaciona o carro, ele fica a exatos trinta centímetros da guia, com os dois pneus milimetricamente paralelos a ela? Quando passa uma calça, os vincos ficam perfeitamente dobrados?

Duvido. Em muitos momentos precisamos nos contentar com o "suficientemente bom". Então, por que os pais fazem isso com seus filhos?

Veja esta cena comum. A mãe de primeira viagem diz a Rebeca: "Beca, quero que você vá e arrume sua cama".

A pequena Beca, de 4 anos, faz o que lhe foi dito. Mamãe entra, vê uma pequena elevação, puxa o lençol, percebe que ele está um pouco mais comprido de um lado que do outro, rearranja as cobertas, amacia o travesseiro e se volta para a agora desanimada criança.

"Bom trabalho, Beca", diz mamãe. Mas suas ações transmitem uma mensagem diferente. Não importa o que essa mãe diga à filha agora, pois o pensamento da menina será: "Errei de novo". Se suas palavras dizem uma coisa, mas seus atos, outra, adivinhe em qual deles seu filho vai acreditar? Naquele que diz "Você não consegue".

As mães fazem isso o tempo todo. Daqui a poucos anos, seu filho aprenderá a ler. Ele falou duas frases perfeitamente, mas errou na pronúncia de uma palavra da terceira frase. Um grande número de mães de primeira viagem vai imediatamente se levantar e dizer: "Oh, não, Mateus, o som precisa ser mais aberto. Tente outra vez".

Quando o filho número quatro cometer um erro semelhante, você e seu marido rirão. "Que bonitinho! Ele diz 'célebro' em vez de 'cérebro'". A razão disso é que, naquela ocasião, vocês já saberão que, no fim, seu filho acabará acertando. Mas o primogênito raramente recebe essa tolerância.

Espero que você, como mãe, escolha ser uma presença que encoraja e acolhe. Fora de casa, todo mundo vai querer uma parcela de seu filho. Os professores querem que ele coopere e que tenha boas notas. Os companheiros de jogo querem que ele participe. Os irmãos mais novos querem que ele ajude a amarrar o sapato deles. Se seu filho chegar em casa e a mãe fizer as mesmas exigências — "Vamos lá, querido, pule por cima da alta barra da vida uma vez mais!" — ele estará bem cansado quando tiver 18 anos.

Quero em especial enfatizar isso aos pais de primeira viagem, porque seu primogênito já será altamente motivado. Quando você condiciona o amor e lhe pede para fazer malabarismos e saltar sobre obstáculos antes que consiga jantar, você está simplesmente colocando gasolina em um incêndio já fora de controle.

Conheço uma mulher com pouco menos de 40 anos que recentemente sepultou sua mãe. A família tinha várias irmãs e um irmão e, depois do funeral, as irmãs se reuniram e simplesmente conversaram sobre a mãe. "A casa não estava sempre limpa", admitiram elas, "e as refeições certamente não tinham uma alta qualidade na maioria das vezes. Mas mamãe sempre estava conosco. Ela sempre parava para escutar, fazer perguntas, nos acariciar as costas na hora de dormir e nos ouvir falar sobre os problemas na escola, sobre amigos ou sobre rapazes".

Que coisa maravilhosa para se dizer sobre você! Aquela mãe dava importância ao que é importante. Ela era acolhedora e amorosa, e é assim que seus filhos se lembram dela. Ora, você gostaria que seus filhos dissessem algo mais ou menos assim a seu respeito: "A casa estava sempre nos trinques. As refeições pareciam pratos da alta gastronomia, mas quer saber? Nunca conseguíamos agradar aquela mulher, não é? Parecia que ela estava sempre mais preocupada se havíamos tirado o sapato do que saber como foi o nosso dia. Se tirássemos três notas A e duas notas B, ela queria saber o porquê das duas letras B. Pelo menos agora ela não vai mais ficar falando em cima de nós"?

A maioria das crianças é muito exigida hoje em dia. Os pais querem que seus filhos sejam o número um em tudo o que fazem. Se o filho fica em segundo lugar em alguma coisa, os pais são rápidos em inscrevê-lo num programa especial ou contratar um professor particular, para manter a ilusão de que a criança é realmente superior em todas as coisas. Uma de minhas filhas e seu marido são professores. Algumas das crianças que frequentam suas classes são medianas em inteligência e obtêm notas medianas — mas isso não é bom o suficiente para os pais. Eles criam todo tipo de movimento na tentativa de arrancar dos filhos algo que simplesmente não está ali.

Por favor, aceite seu filho como ele é. Ele não será excelente em todas as coisas.

Logo no início, assim que seu bebê conseguir sentar e, depois, quando for capaz de empilhar os brinquedos, você terá de escolher qual será o seu padrão. É a perfeição?

Podemos aprender muito assistindo aos jogos da Special Olympics.[1] Todas aquelas crianças correndo com um sorriso, vendo todos receberem uma medalha no final — isso é realmente muito tocante. À medida que as crianças crescem, elas podem competir. Quero que meus filhos mais velhos aprendam a perder. Mas, logo no início, não quero enterrá-los embaixo de um desnecessário e elevado padrão de perfeição.

Considere isso como parte da formação de vínculos: você se sente atraída pelas pessoas que têm todas as respostas ou por pessoas que sejam reais? A maioria de nós é atraída por pessoas reais. Seus filhos serão do mesmo jeito.

Uma palavra final sobre isso para você que é esposa. Você terá de ser muito cuidadosa com seu marido nesse aspecto. Os homens têm a tendência de ser excessivamente duros e críticos com os primogênitos. Um rapaz compartilhou comigo o modo como seu pai o criticava o tempo todo quando ele era criança. O pai o repreendia por ser "teimoso feito uma mula" ou por ser um menino simplesmente detestável. O filho não consegue se lembrar de nenhuma palavra de encorajamento.

Por fim, o garoto se cansou. Depois de ser chamado mais uma vez de mula, ele procurou a palavra no dicionário.

— Pai — perguntou ele — você realmente acha que eu sou uma mula?

— Se você não for uma mula — respondeu o pai — então não sei o que é uma mula.

— Eu estava pensando, porque procurei a palavra "mula" no dicionário e lá diz que se trata de um animal que teve uma égua como mãe e um asno como pai.

O filho me disse: "Ele nunca mais me comparou com uma mula outra vez".

2. EXCESSO DE ATIVIDADES

Talvez eu tenha uma visão preconceituosa da natureza humana, devido ao fato de ser alguém que é chamado quando uma família está se desfazendo. Eu sou a voz no rádio com a qual se conversa quando surgem os problemas. Sou uma das cabeças falantes que o programa *The View*, da rede ABC, apresenta para discutir questões familiares problemáticas de nossos dias. Estou ciente de que tudo isso pode influenciar a maneira como penso nas coisas, mas, mesmo assim, creio que as estatísticas me apoiam nesse quesito.

Seu bebê vai crescer e se transformar num adolescente. Com 14 ou 15 anos, ela pode usar drogas e morrer de overdose. Aos 16 anos, ele pode beber um pouco demais, ficar com um pouco de medo do que você vai dizer, mas, mesmo assim, resolver pegar o carro e ir dirigindo para casa — e então se envolver num grave acidente. Aos 17 anos, ela pode fazer sexo com um colega do ensino médio e engravidar; aos 18, ele pode se sentir entediado e resolver fazer ligação direta em alguns carros "apenas por brincadeira", ou talvez sair e explodir uma lixeira ou duas apenas para ser fichado na polícia.

O que impede seu filho de fazer coisas assim? Todos nós sabemos que muitos jovens caem nesse tipo de armadilha, pois lemos sobre isso nos jornais diariamente. Então, o que os pais fazem para manter os filhos longe de problemas?

A coisa mais importante que você pode fazer para impedir isso deve ser feita nos primeiros anos de vida de seu filho. Crie um ambiente do qual ele se sinta parte e uma atitude de proximidade familiar. Quando estou diante de um grupo de mil pessoas e digo "Quero que cada um aponte para si mesmo", 999 delas apontam para o coração. O que você precisa cativar como mãe é o coração de seu filho. Você precisa conhecer, ajudar a treinar, proteger e ouvir o coração de seu filho. Isso é mais importante do que fazer que seu filho ou filha de 2 anos se socialize, jogue futebol, comece cedo no balé e tenha aulas de musicalização. Passem os primeiros anos desfrutando da companhia um do outro; use esse tempo para cativar o coração de seu filho.

Embora as crianças sejam hedonistas por natureza, elas querem ser parte de uma família e se identificar com seu lar. A maioria de nós, adultos, já experimentou algo bem semelhante. Na volta de uma longa viagem ou de uma reunião longa, exaustos e cansados, um de vocês diz:

— O que você acha de pararmos para comer alguma coisa?

O outro responde:

— Estou morto de fome, mas quer saber? Só quero chegar logo em casa. Mesmo que seja para comer apenas uma tigela de cereal, quero chegar em casa.

E você diz:

— Olha, você está certo. Vamos para casa.

O mesmo desejo reside em seus filhos. O lar é um lugar especial onde estar. Ao escolher uma vida cheia de compromissos, você estará treinando seu filho para identificar o coração dele com o que está fora de casa. Por que você quereria fazer isso?

Outro problema de lares muito ocupados é que as lições mais profundas são deixadas de lado por falta de tempo. Em vez de conversar sobre o que é realmente importante, os casais passam a maior parte do tempo definindo quem vai levar quem a qual lugar. Os jantares em família são eliminados e, não demora muito, ninguém conversa de fato com ninguém. Cansados demais, pai e mãe ligam a televisão e continuam a viver vidas separadas.

Os filhos observam tudo. Eles verão que você fica mais animada por assistir ao próximo episódio de *CSI – Investigação Criminal* ou por conversar sobre coisas como seus valores e sua fé pessoal? Você permitirá que o que não é importante no longo prazo atropele o que tem importância eterna? É *fundamental* que os pais que professam alguma religião não apenas *digam* que têm fé, mas que a pratiquem de uma maneira que os filhos possam ver — todo dia. Foi preciso acontecer o Onze de Setembro para que muitos norte-americanos acordassem para a importância de Deus na vida de nosso país, e espero que essa seja uma lição da qual não nos esqueçamos logo.

Contudo, aqui está o desafio: não é porque os pais têm fé em Deus que seus filhos terão a mesma fé. Você precisa daquilo que chamo de "transferência poderosa". A melhor maneira de alcançá-la é viver essa fé na frente de seus filhos, de modo constante e persistente. Deixe que eles a vejam e ouçam orar — e não apenas antes das refeições. Integre sua fé ao seu dia, como se você estivesse numa "conversa constante" com Deus, em vez de simplesmente esperar para falar com ele sobre "coisas importantes". Mostre a seus filhos que não é preciso esperar até domingo ou quarta-feira à noite para conversar com Deus; ele é parte de sua família todos os dias. Mas, se você estiver muito ocupada e tentar cortar caminho colocando a religião garganta abaixo de seus filhos, provavelmente vai fazer que eles se rebelem. Uma família que aconselhei se surpreendeu quando o filho adolescente passou a se recusar a ir à igreja. Mas eu não pude culpar o filho — ele era forçado a entrar no prédio da igreja sempre que a igreja estava aberta, não importando qual fosse o evento. Não é de admirar que, aos 15 anos, ele estivesse cansado de toda aquela "socialização" da igreja.

Entretanto, se você se mantiver próxima o suficiente de seus filhos, se eles virem como você confia em Deus e o inclui em seu dia e observarem pessoalmente quanto Deus é relevante em sua vida, então podem responder a um convite autêntico. À medida que seus filhos ficarem mais velhos, você logo descobrirá que, assim como eles raramente dão ouvidos aos discursos — em particular aos discursos morais —, eles também raramente perdem as lições da vida: o modo como papai fala quando leva uma fechada no trânsito; se mamãe incentiva ou faz fofoca quando está ao telefone.

Se você investir tempo em sua família e fizer as coisas certas, seu filho, acredite ou não, desejará agradá-la. Se sua filha tiver uma forte identidade familiar, quando alguém lhe oferecer maconha, dizendo "Experimente, você vai gostar", ela dirá "Sou uma Carvalho, e nós não fazemos isso".

Se um grupo de garotos estiver atormentando um menino menor e um dos amigos de seu filho segurar o infeliz colega e disser "Vamos lá, Júlio, é sua vez — acerte um soco nele enquanto eu o seguro", seu filho dirá: "Sou um Andrade, e nós não tratamos as pessoas dessa forma".

Não há antídoto mais poderoso contra a pressão negativa da sociedade do que criar um forte senso de família e de valores.

"Mas, dr. Leman, meu filho tem 9 meses! Não é um pouco cedo para falar sobre todas essas coisas?"

De modo algum, porque esse forte senso de família e de valores é criado desde o primeiro dia, fazendo os sacrifícios necessários para criar vínculos firmes como família, mantendo seu filho em casa em vez de colocá-lo em quatro ou cinco (ou, mesmo aos 9 meses, em uma ou duas) atividades extracurriculares.

Antes que você perca o controle de sua agenda, passe a faca nela; comece a picá-la. Reserve as melhores horas e os dias mais importantes para sua família. Arranje todo o restante em função disso. Se não couber mais nada, então você já sabe: vai precisar dizer não a todas as outras opções.

3. FALTA DE VITAMINA N

Talvez você tenha comprado vidros de vitaminas B, C, D e E para garantir que seu filho tenha aquilo de que precisa. Podem ser de uma marca ou de outra, ou você pode muito bem ter escolhido a rota da moda antiga e simplesmente garantir que seu filho tenha uma dieta equilibrada.

Meus parabéns.

Apenas não se esqueça da vitamina N.

"Essa é nova, dr. Leman. Nunca ouvi falar dela!"

Vitamina N é N de "não" — não apenas a palavra, mas o conceito. Os pais de primeira viagem caem na armadilha de achar que podem deixar seu filho mais feliz e mais bem ajustado por meio daquilo que dão ao seu filho e das experiências que permitem que ele tenha. Em diversas ocasiões, esses esforços podem simplesmente sair pela culatra.

Não quero ser injusto demais com o Mickey, mas, quando você leva seu filho de 3 anos à Disney, compra aquelas orelhas do Mickey, uma camiseta do Pateta, uma espada do Aladim, pijamas do Rei Leão e óculos escuros do Pato Donald — além de empurrar o carrinho da criança pela Flórida inteira —, não se surpreenda se, à meia-noite, vocês esfregarem seus pés doloridos, olharem um para o outro e concluírem que aquele pode ter sido o pior dia da vida de vocês.

Não dar coisas ao seu filho é muito importante. É comum que o ato de dar coisas de presente às crianças se torne um substituto para o ato de ser pai. Não passamos tempo suficiente em casa, de modo que tentamos consertar isso levando as crianças à Disneylândia — a qual, de fato, não nos permite ter um tempo juntos na mesma medida em que nos distrai do mundo real.

Esse é um padrão de comportamento que os pais podem aplicar para toda a vida. Queremos que nossos filhos sejam ocupados dos 8 aos 12 anos; sendo assim, o que fazemos? Adquirimos filmes e *video games* para eles, comprando tempo para nós mesmos e, no meio do processo, alienamos nossa família. Quanto mais coisas uma criança tiver, menos tempo ela normalmente passa com papai e mamãe.

As crianças não precisam de metade das coisas que damos a elas. Conheço um jovem pai que tinha vontade de dar à sua primogênita tudo o que ela queria. Contudo, ele e a esposa estavam com um orçamento bastante apertado e não tinham condições de comprar quase nada. Certo domingo, deixaram sua filha no berçário da igreja. Quando a pegaram de volta, uma hora depois, papai notou como ela estava feliz brincando com uma bola com sininhos dentro. Ele foi até a loja e a encontrou por 40 reais. Isso pode não parecer muito para mim ou para você, mas eles não tinham nenhuma folga no orçamento. Sem consultar a esposa, o pai comprou a bola. Ele queria que sua filha ficasse feliz.

Imagine seu desapontamento quando, ao chegar em casa, abriu a caixa e colocou a bola no chão. Sua filha jogou a bola para o lado e começou a brincar com a caixa.

"Não, querida!", disse ele. "Olhe para a bola! Viu só como ela faz barulho? É igualzinha àquela que você viu na igreja." Mas a pequenina estava vidrada na caixa; ela nem sequer olhava para a bola.

A maioria dos bebês se cansa dos brinquedos depois de mais ou menos cinco minutos. Se você levar seu filho à casa de um amigo e ficar de olho enquanto ele brinca com o brinquedo do amigo e, então, sair para comprar um igual, achando que seu filho terá horas de diversão, você está cometendo um erro clássico dos pais de primeira viagem. Os brinquedos duram quase o mesmo tempo que as sobras de comida. Os bebês perdem interesse mais rapidamente do que você pode imaginar. Portanto, invista sua energia e suas finanças em passar tempo com seu filho e em interagir com ele, em vez de dar-lhe coisas.

Veja a questão da seguinte maneira: *uma criança infeliz é uma criança saudável*. Essa declaração surpreendeu você? As crianças precisam aprender como lidar com a negação; elas precisam aprender como tratar um desapontamento. Que melhor lugar para fazer isso do que o lar? E que melhor pessoa para ensinar isso do que o pai ou a mãe?

4. FALTA DE VITAMINA E

Um dos maiores mitos atualmente é a preocupação com a autoestima. Costuma-se pregar hoje que a autoestima nada mais é que um pó mágico que você joga no caminho de seus filhos. São todos os "U-hu! Você é ótimo, você é um grande isso, você é um ótimo aquilo, é realmente especial", toda essa tagarelice que os "especialistas" sugerem para produzir filhos saudáveis.

O problema que enxergo nessa abordagem é que ela não está ligada a coisas como integridade e caráter. Nem à ideia de retribuir à família. É estima construída em cima de ilusão! O princípio é que, se você fizer todas aquelas coisas maravilhosas por seu filho e enriquecer a vida dele dessa e daquela maneira, de alguma forma ele será a borboleta mais linda que você já viu, totalmente apaixonado por todas as manchas de suas asas. O fato é que esse tipo de pó mágico dura quase tanto quanto uma mosca de banana: não se sustenta.

Em vez de dizer a uma criança quão bela ela é simplesmente por ser criança, você quer ensinar seu filho a pensar de maneira construtiva e positiva. A estima vem da realização de algo e de receber alguma coisa em troca. Se uma criança faz por merecer algo, ou aprende a fazer alguma coisa e, então, seus pais a elogiam sobre o ótimo trabalho que realizou ou o grande esforço que fez ou como ela deve estar se sentindo bem por aquilo que concluiu, essa criança começa a pensar: "As pessoas mais importantes da minha vida — mamãe e papai — percebem o que eu fiz e o que realizei, e reconhecem que eu tenho um papel a desempenhar". É isso que constrói autoestima, porque ela é construída sobre algo substancioso.

Escute: as crianças não são tão bobas quanto achamos que sejam. Quando você diz a um menino como ele é maravilhoso e ele sabe que não é, como você acha que isso cai na mente dele? A única coisa que isso diz à criança é que ela não pode confiar em papai e mamãe, de modo que, quando um feito genuíno merecer elogios, ele não conseguirá recebê-los. Afinal de contas, ele sabe que seus pais mentiram antes; como ele pode ter certeza de que não estão mentindo agora?

Um pai riu quando sua filha pequena chamou aquelas fitas de "participação" em corridas de "fitas de parabéns por nada". Ela rapidamente se cansou dessas tiras sem sentido, e com razão. Terminar uma maratona é um grande feito; não é uma realização especial para uma criança de 10 anos concluir uma corrida de cinquenta metros (a não ser nos jogos paraolímpicos, ou algo assim, é claro).

O guia da criação permissiva de filhos, que defende a condescendência, baseia-se em sentir-se bem. Esse tipo de criação fortalece as crianças em todas as coisas erradas. As crianças são hedonistas, e você será manipulada por elas caso caia nas armadilhas de que lançam mão. Se você deixar que pensem, ainda que por apenas um instante, que a felicidade delas é o seu principal objetivo de vida, elas vão mexer com suas emoções, choramingar com toda a força e acabar se tornando adultos egoístas que deveriam se envergonhar, e não se orgulhar, da ênfase que dão a si mesmos. Seu trabalho é garantir que você é o pai, não um tipo de bobo do qual elas se aproveitam e cospem fora.

Em vez de se concentrar na autoestima de seu filho, concentre-se em criar uma pessoa doadora, em vez de uma tomadora. Uma maneira bastante prática de fazer isso é ensinar seus filhos a escrever bilhetes de agradecimento. Nem mesmo um presente da vovó é um "direito"; é um privilégio, e deve ser tratado como tal. Ensinar as crianças a dizer "obrigado" é eficiente contra a mentalidade do "tomador", uma vez que é uma forma de "retribuir".

Outra abordagem que eu e Sande gostamos de usar é envolver nossos filhos em atos de caridade. Se você conhece uma família que esteja necessitando comprar algum alimento, escreva um cartão, separe um pouco de dinheiro, coloque tudo num envelope e peça ao seu filho que coloque na caixa de correio daquela família. O que você está ensinando à criança é que mamãe e papai estão preocupados em contribuir em favor dos necessitados.

Como família, sustentamos um menino em El Salvador através da organização Compassion International; e Lauren aprecia muito escrever cartas para ele. Além do apoio regular, gostamos de ser criativos. Certa vez fomos a uma feira de usados e compramos um monte de bastões de beisebol, luvas e diversas bolas, o suficiente para que toda a vizinhança pudesse jogar! Lauren ajudou a encontrar e comprar o equipamento, assim como a embalar e despachar o pacote.

Tudo se resume a isto: se você quiser criar um filho compassivo, dê a ele algo pelo que se compadecer. Seu objetivo maior é criar um filho que seja independente depois da universidade, capaz de ser bem-sucedido sem que papai e mamãe estejam olhando por cima dos seus ombros e constantemente dizendo quão especial ele é por ter tirado aquela nota C na prova final de química.

Embora eu não seja fã de encher a agenda da criança, o que gosto muito em atividades como o clube 4-H[2] é que nelas a criança é envolvida num projeto — cuidar de um bezerro, por exemplo — e desde o início aprende a conhecê-lo como um todo. No final, se fizer um bom trabalho, recebe a merecida faixa de congratulação durante a mostra dos projetos. Esse senso de realização e orgulho é uma coisa boa, pois se baseia numa realidade substantiva. Eles não apenas se esforçam — são bem-sucedidos. No mundo real, essa é uma diferença significativa e uma distinção altamente relevante. Conheço um homem adulto que, após seu time perder um jogo importante, conversou com seu pai. O filho cometera alguns erros que realmente não deveriam ter existido. O pai não o repreendeu nem o castigou por não ter sido perfeito, mas disse: "Filho, quero que você se lembre do que sentiu quando perdeu, e que nunca mais se esqueça disso. Essa é a motivação de que você precisa para se esforçar ainda mais da próxima vez". Embora isso possa parecer duro para alguns de vocês, considere, ainda que por um instante, como esse rapaz responderá quando for preterido em sua primeira entrevista de emprego. Em vez de chorar porque a empresa não conseguiu ver suas qualidades "especiais", ele terá aprendido como se esforçar para ser ainda mais atraente em sua próxima entrevista. Essa é uma lição muito valiosa.

O real encorajamento significa identificar o que uma criança faz e reconhecer sua verdadeira realização — quer esses feitos aconteçam na escola quer em casa. Trata-se de notar aquelas coisas que merecem ser notadas e separar um tempo para mencioná-las.

Veja um exemplo da minha própria família. Há não muito tempo, Hannah e eu tivemos uma conversa. Eu lhe disse como me sentia orgulhoso pelo modo como ela estava escolhendo boas companhias, e mencionei quão feliz me sentia por ela mostrar-se tão sábia ao escolher pessoas com quem dividir suas horas livres. Como Hannah se sentiu depois de ouvir isso? Ela experimentou um cordial senso de realização: "Meu pai está apoiando minhas escolhas, o que deve significar que sou capaz de tomar decisões sábias". Comentários assim feitos a crianças vão apenas aumentar-lhes a confiança e ajudá-las a continuar a fazer escolhas sábias no futuro.

É assim que se constrói estima verdadeira e saudável nas crianças: encoraje uma boa maneira de pensar (vitamina E). Destaque o que elas estão fazendo certo. Preste atenção às escolhas e às ações que sejam dignas de encorajamento, e não seja econômica. Deixe de lado aqueles comentários do tipo "Há-há" ou "Você é especial porque você é você".

O que de fato interessa é que a coisa mais importante a ensinarmos aos nossos filhos é que devem fazer escolhas corretas, razão pela qual normalmente leio o jornal perto o suficiente dos meus filhos para que possa ouvi-los. Leio sobre acidentes de carro causados por negligência, estudantes universitários que se envenenam com álcool e, então, conversamos sobre isso.

— O que você acha que esse rapaz estava pensando? — pergunto.

— Esse é o problema — um de meus filhos pode dizer. — Ele não estava pensando.

Com uma criança bem pequena, você precisa adaptar um pouco: "Jefferson, mamãe ficou muito feliz por você ter compartilhado seus brinquedos com a Aninha hoje. Isso mostra que você será um grande rapaz!".

É sabido que isso pode ser um pouco enganoso. Você precisa se aproximar de seu filho e incentivar o que ele fez, sem exagerar e sem comunicar a inverdade de que mamãe e papai o amam porque fez aquilo. Não estou pregando o amor condicional. Estou apenas dizendo que a autoestima é mais bem construída quando se fundamenta em realizações substantivas, não em mediocridades vazias.

Praticamente toda atividade que seu filho executa no dia a dia dá a você a oportunidade de suplementar o caráter dele com vitamina E. Tomemos como exemplo algo tão simples quanto ensiná-lo a guardar seus brinquedos. Com uma criança de 8 anos, você pode dizer: "Querido, quero que você guarde todos os seus brinquedos assim que acabar a reprise deste episódio de *Todo mundo odeia o Chris*", e ele deve ser capaz de fazer isso. Com uma criança de 2 anos, você não pode simplesmente dizer "guarde seus brinquedos". Você precisa abaixar-se fisicamente no chão junto com seu filho e ajudá-lo a guardar as coisas. Você também precisa ter expectativas realistas. A ideia dele sobre guardar suas coisas pode ser pegar aquele pequeno caminhão de plástico e jogá-lo numa caixa. Diante disso, você pode dizer algo como "Obrigado por ajudar a mamãe", talvez até mesmo batendo palmas juntos. Na maioria dos casos, uma criança dessa idade vai responder batendo palmas também e sorrindo. O resultado, por mais simples que possa parecer, é que a criança pensa: "Posso ajudar a mamãe. Mamãe percebeu que eu estava ajudando!". A criança já está sendo preparada para a ideia de que pode devolver alguma coisa para sua família. É impossível mensurar quão importante será esse senso de estima e de participação na família quando essa criança chegar à adolescência.

5. ENVOLVIMENTO NO JOGO DE COMPARAÇÕES

Você está criando o tipo de bebê que só usa roupas de grife de lojas caras? Sua preocupação é se seu filho tem os mais recentes brinquedos de estimulação cerebral, se apresenta desenvolvimento físico mais rápido que o de outras crianças da mesma idade, se está falando mais cedo também?

Já conversei com pais que procuram brinquedos educacionais planejados para crianças de 2 ou 3 anos de idade e os compram para o filho de 9 meses e, então, explodem de alegria quando o bebê brinca com eles. "Vejam só!", dizem. "Ele é tão avançado para sua idade! Logo, logo, ele não vai mais brincar com isso!"

Não tente empurrar seu filho. Uma criança de 9 meses pode gostar de praticamente qualquer coisa se sua mãe estiver vibrando de alegria por cima de seus ombros; ou seja, isso não significa muita coisa. Além do mais, o desenvolvimento humano é um processo longo: se prematuro, não garante que uma criança ficará acima da média por toda a sua vida; ela pode muito bem ser ultrapassada por seus colegas no jardim de infância ou talvez somente no ensino médio. Quando chegamos à casa dos 20 anos, alguns de nós estão acima da média, alguns estão abaixo da média, e a imensa maioria está exatamente no meio. No final, será que isso realmente importa alguma coisa?

Fuja do jogo "bem, o meu filho" como você foge de um incêndio. O jogo "bem, o meu filho" é mais ou menos assim:

- Mãe 1: "Meu filho disse a primeira palavra aos 9 meses!".
- Mãe 2: "Bem, o meu filho deu os primeiros passos aos 8 meses e meio!".
- Mãe 3: "Bem, todos os meus filhos deixaram a fralda quando tinham um ano e meio!".

O desenvolvimento humano não é uma corrida; não se trata de quem chega primeiro a determinado lugar! O caráter exige amadurecimento e, de fato, não é notado até que nos tornemos adultos. Eu certamente posso fazer propaganda de centenas de crianças que se viraram sozinhas no berço antes de todos os seus colegas — e terminaram na cadeia. Não se preocupe com o progresso de seu filho em relação ao de outras crianças e não fique entusiasmada demais se o progresso dele parecer avançado. Isso não importa.

Seja cuidadosa. A boa motivação pode gerar uma criação de filhos desastrosa. Se você está determinada a ser uma mãe perfeita, do tipo que lê três revistas diferentes sobre criação de filhos, todos os livros mais recentes e registra o progresso do seu filho mês a mês, levando tudo para o lado pessoal (essa é a questão), seu filho terminará usando isso contra você. Ele perceberá que você lhe deu uma boa dose de poder sobre você mesmo.

Ele pode muito bem aguardar até que tenha 8 ou 9 anos. Talvez ele espere até a adolescência para se rebelar. Pode até ser que ele espere até a hora de ir para a universidade, mas é inevitável que até mesmo um filho com inteligência normal perceba ansiedade em sua motivação e pense: "Mamãe dá muita importância a esse assunto; creio que vou assumir isso como motivação pessoal!". Os filhos têm uma compreensão intuitiva e bastante precisa daquilo que queremos que eles façam, e os mais enérgicos vão de fato tentar derrotá-la se perceberem sua intenção de ser a mãe perfeita que produz os filhos perfeitos.

Em vez de comparar seu filho, desfrute dele. Assim como um jacinto, plante a semente, aguarde um tempo, mantenha os olhos focados, desfrute da primeira florada e, então, deixe-se enamorar pela beleza daquilo que por fim resulta: vinte anos estrada afora.

Você perde muita coisa quando se deixa levar pelo jogo da comparação. Seu primogênito nunca será tão pequeno quanto é agora. Lembro-me de segurar minha quarta filha, Hannah, que nasceu pesando 2,3 quilos. Ela cabia na palma da mão, e eu ficava dizendo a mim mesmo: "Não raramente, costumo pescar peixes com esse peso!".

Talvez pelo fato de eu já ter criado três filhos até a idade quase adulta, quando Hannah chegou consegui curti-la durante toda a jornada. Eu a amei com pouco mais de 2 quilos; diverti-me com ela aos 10 quilos. Nunca deixei de adorá-la mesmo quando parecia ter parado nos 27 quilos por dois anos; e a amo agora quando ela se aproxima dos 45 quilos. Quando ela se casar e estiver no nono mês de gravidez, tenho certeza de que a amarei mesmo com 70 quilos!

Ontem mesmo (um dia antes de eu escrever isto), nós dois fingimos que dançávamos na festa de seu casamento. Hannah pode vir a se esquecer desse momento, mas eu nunca me esquecerei. Sei que os dias passam depressa e por isso estou me apegando a toda e qualquer lembrança, sem deixar que nenhuma sequer seja roubada por meio de comparações entre Hannah e suas amigas. Francamente, não me importo que a amiga dela seja 5 centímetros mais alta, 30 segundos mais rápida numa corrida ou 20 pontos mais adiantada no teste de Q.I. De todas as crianças do mundo, incluindo cantoras famosas, atrizes, autoras, âncoras, o que for — eu escolheria Holly, Krissy, Kevin, Hannah e Lauren cem vezes em cem oportunidades.

6. EXCESSO DE AGITAÇÃO

Já voei milhões de milhas. Isso não é exagero; só na American Airlines, já ultrapassei a marca de três milhões. Já passei por todo tipo de turbulência e inconveniente que se possa imaginar.

Mas ainda me lembro da primeira vez em que enfrentei uma turbulência. Estávamos voando, o avião começou a chacoalhar, e eu entrei em pânico. "O que está acontecendo?", pensei. "O que se passa?"

Mas então olhei à minha volta. O homem ao meu lado continuou lendo seu jornal, como se nada tivesse acontecido. A mulher do outro lado do corredor nem piscou. Ver a calma deles ajudou-me a ficar calmo. Aprendi que a turbulência é uma parte normal de uma viagem de avião, como os solavancos ocasionais na estrada quando você está dirigindo; não há nada a temer.

Hoje, ocasionalmente, vejo alguns principiantes enfrentando seu primeiro golpe de turbulência. A ansiedade toma conta de sua face até que eles olham ao redor e veem que todo mundo está bastante calmo. Então, eles também se acalmam.

Como mãe de primeira viagem, você passará por muitas provações e ansiedades pela primeira vez. Com o filho número dois, você não sentirá tanto essas mesmas provações, uma vez que já terá passado por isso e aprendido que seu bebê sobreviverá a um aumento na temperatura ou a um surto ocasional de diarreia.

Mas, uma vez que, diferentemente de estar num avião, você, mãe de primeira viagem, não tem ninguém na sua própria casa para quem olhar, sua tendência será ficar preocupada demais em relação a coisas pequenas.

Por que isso é um problema?

Bem, lembra-se de quando falamos sobre vínculos? Eu disse que não apenas você será capaz de ler seu filho, como ele também será capaz de ler você. Você não conseguirá esconder de seu filho sua ansiedade, mamãe — ele conhece você. Quando o segurar, ele ouvirá seu batimento cardíaco de 150 batidas por minuto e pensará: "Por que tudo isso? Algo deve estar errado!". Quando sua voz está tensa ou preocupada, ele percebe como se fosse um detector de mentiras. Nada escapa dele porque, por vários meses, você foi o mundo inteiro para ele. Ele estudou você e a conhece. Ele é a última pessoa que você pode enganar.

Os bebês se saem melhor com mães calmas e confiantes. Isso lhes dá um senso de segurança, serenidade e paz. Aprenda a falar palavras tranquilizadoras em vez de assustar seu filho diante da menor lamúria. Seu bebê seguirá o seu exemplo. Se ele ouvir você falando calmamente com ele, ele pensará: "Bem, mamãe não está preocupada; tudo deve estar bem. Talvez eu devesse me acalmar também".

O que vejo acontecer com muita constância entre as mães de primeira viagem é que o bebê fica agitado, fazendo que a mãe fique agitada, então o bebê fica ainda mais agitado, o que, é claro, deixa a mãe ainda mais agitada, e assim por diante.

Relaxe. Fique calma. Seja uma presença tranquilizadora para seu filho. Não trate coisas pequenas como se fossem questões de vida ou morte.

Outra coisa que deixa as mães de primeira viagem extremamente afobadas é tratar desenvolvimentos normais como se o filho delas tivesse suplantado Einstein. Você não vai fazer isso com seu filho número dois nem com o número três, mas garanto que fará isso com seu filho número um.

Por exemplo, vamos falar sobre a primeira vez em que o bebê vai ao banheiro, sem fralda. Não é segredo que, quando você alimenta uma criança com leite materno, leites industrializados especiais ou potes de papinha para bebê, tudo isso terminará saindo pelo outro lado. Isso acontece sempre. Na China. No Peru. Na República Tcheca. E, sim, no seu velho e bom país. Os bebês comem. Os bebês fazem cocô.

Nada de mais, certo?

Bem, para pais de primogênitos, isso é muita coisa!

Frederico, com seus 20 meses de vida, finalmente consegue escalar o grande vaso sanitário — não aquela pequena cadeira plástica com um penico, imagine você, mas aquele de cerâmica, com a marca do fabricante impressa. Depois de um minuto ou dois de contemplação, ele termina "fazendo", e adivinhe quem aparece no banheiro? A mãe de primeira viagem, ora!

A mãe de primeira viagem olha duas vezes para se certificar do que viu Frederico fazer no "penico de gente grande". Então, olha para dentro do vaso e descobre que o filho criou uma obra-prima de 10 centímetros, a qual flutua pacificamente na privada. Orgulhosa como um pavão, a mãe de primeira viagem chama seu marido. "Heitor, Heitor, venha aqui, rápido! Venha ver o que o pequeno Frederico acabou de fazer!"

O pai de primeira viagem joga no chão o caderno de esportes do jornal, olha para a privada e diz: "Meu garoto! Bom menino. Que trabalho excelente!".

O que Frederico, em seus 20 meses, está pensando? "Sabe, isso foi muito fácil; um pequeno barulho e lá estava ele. Essas pessoas farão qualquer coisa em troca de diversão."

Se exagerar nas pequenas coisas da vida, você está se preparando para ter grandes desapontamentos, e também se arriscando a criar no seu filho um complexo de messias. Quando você se preocupa demasiadamente com as coisas básicas — criança comendo, criança molhando e sujando as calças, dormindo etc. — é como se estivesse latindo para uma árvore na qual não há nenhum gato. Depois de algum tempo, se você exagerar em relação a essas coisas naturais, a criança reagirá de volta. Lá no fundo, ela pensará: "Oh, eles realmente se importam com isso, não é?". E, então, seu filho usará esse novo poder contra você.

Se você exagerar, estará transformando situações normais em lutas de poder. Já vi pais com título de ph.D. se fazerem de bobos com uma colher infantil, tentando convencer a criança a comer: "Aqui vai o aviãozinho, querido; abra bem a boca para o avião entrar!". Tão logo o avião se aproxima do espaço aéreo diretamente à frente da boca da criança, os lábios dela se fecham, bem apertados. O hangar está fechado!

Ou as mães de primeira viagem ficam tensas porque seu filho está chorando. Os bebês devem chorar; é isso o que eles fazem! Você, mamãe novata, já abraçou, beijou e cantou para seu filho o dia inteiro. Ora, trate-me assim e também vou chorar quando você se afastar de mim!

Uma ida ao banheiro não é uma grande realização. Descobri ainda pequeno, fazendo experiências com as bonecas da minha irmã Sally, que aquilo que entra tem de sair. Eu sei porque experimentei pepsi, leite, chá gelado (e algumas outras substâncias que preferia que minha mãe não ficasse sabendo), e tudo isso saiu do corpo plástico de Betsy, a boneca que chora e vai ao banheiro.

Portanto, ainda que possa ser a primeira vez para você, mamãe, as reações naturais que você vê acontecer em seu filho acontecem todo dia há milhares de anos.

7. EXCESSO DE DISCIPLINA

Como mãe de primeira viagem, você provavelmente não está tão familiarizada com o comportamento próprio da idade quanto uma mãe de segunda ou terceira vez. Assim, você tende a se exceder na disciplina sobre seu filho.

Ouço histórias como esta o tempo todo: uma criança de 3 anos rouba um biscoito e então mente sobre isso; a mãe de primeira viagem bate na criança, coloca-a na cama sem jantar e, depois, trata a criança como um cidadão de terceira classe por quatro dias. "Você está mentindo para a mamãe de novo? Tem certeza? Vou contar os biscoitos mais uma vez, porque você sabe que mamãe não pode mais confiar em você."

Com crianças bem pequenas é muito mais benéfico aproveitar a oportunidade para treinar, em vez de envergonhar e marginalizar. Se minha filha de 3 anos roubasse um biscoito e depois mentisse em relação a isso, eu simplesmente a chamaria de lado e diria:

— Querida, ouça, fiquei sabendo que isso não é verdade. Havia três biscoitos aqui há apenas cinco minutos e agora existem apenas dois. Ninguém mais esteve aqui, a não ser eu e você. Você pegou esse biscoito, não foi?

— Talvez.

— Querida, como você se sentiria se me perguntasse se poderíamos sair para tomar um sorvete e eu dissesse sim, mas, quando você saísse do seu quarto com os sapatos calçados, pronta para ir, eu dissesse "Eu nunca disse que lhe daria um sorvete. Volte para o seu quarto e tire os sapatos"? Você não iria gostar, não é?

— Não.

— Sabe, numa família é muito importante que todos digam a verdade. Dessa maneira podemos depender uns dos outros. Portanto, vou perguntar outra vez: você pegou aquele biscoito?

— Sim.

Depois dessa discussão, talvez você queira proibi-la de comer a sobremesa do almoço ou do jantar, mas qualquer coisa além disso é exagerar na dose. Não transforme uma espinha no rosto no monte Everest!

Às vezes nos esquecemos de que as crianças pequenas são pessoas; elas não são robôs. Elas ficam cansadas e, consequentemente, mal-humoradas. Às vezes somos culpados pelo mau humor delas; nós as deixamos acordadas até tarde, tentamos fazê-las realizar demais e então ficamos pensando por que estão se comportando mal.

Muito frequentemente, o melhor a fazer é apenas colocar a criança para tirar uma soneca quando ela está irritadiça, em vez de tentar extrair uma lição de vida de um ato de impaciência. Aprenda a reconhecer as limitações humanas de seu filho e pare de esperar que ele sempre reaja com regularidade robótica. Espere um pouco para descobrir o que está acontecendo: "Você está assustado, querido? Alguma coisa está machucando você? Acho que você está bem cansado, não é?".

Há muitos pais e mães de primeira viagem que leem no comportamento de uma criança coisas que simplesmente não estão ali. A criança está cansada, mas os pais agem como se a criança fosse um criminoso em formação. Em vez disso, simplesmente trate o cansaço, e a aparente rebelião desaparecerá. Assim, você poderá lidar com a *verdadeira* rebelião quando ela surgir.

Já vi até mesmo a curiosidade saudável e normal ser interpretada erradamente como rebelião. Certa vez, enquanto apresentava um programa de entrevistas numa rádio, recebi uma ligação da mãe de uma criança de 9 meses.

— Dr. Leman — disse a mãe — esta manhã minha filha estava propositalmente desobediente, e quero saber como fazer para que ela aprenda a se comportar.

— O que ela fez? — perguntei.

— Ela foi até o sofá e pegou algumas almofadas decorativas. Eu lhe disse que não as jogasse no chão, mas ela olhou direto nos meus olhos e jogou assim mesmo. São almofadas lindas, feitas à mão, bastante caras.

Minha vontade era fazer um discurso para aquela mãe sobre quão pouco uma criança de 9 meses se importa com o custo do processo de fabricação de uma almofada, mas me contive por tempo suficiente para perguntar:

— O que você fez com ela?

— Dei-lhe uma palmada das boas. Ela não vai fazer isso novamente!

— Que idade você disse que sua filha tem? — perguntei de novo.

— Nove meses.

Fiquei chocado.

— Você não compreende que o que aquele bebê fez foi um comportamento adequado ao desenvolvimento? Ela não está desafiando você, não nessa idade. Foi uma brincadeira inocente. Ela viu as almofadas coloridas, mas não entende como uma delas custa 5 reais e a outra custa 100 reais. Sua filha simplesmente viu a decoração e achou que seria engraçado vê-la cair no chão.

Os bebês gostam de causa e efeito; eles estão descobrindo seu mundo. A gravidade, a textura da comida em suas mãos ou no cabelo, o som que um copo de água faz quando cai no chão, o ganido de um cão quando sua cauda é puxada — tudo isso é novo para eles. A falta de experiência significa que eles não se importam se estão derrubando os pratos que você comprou no mercado da esquina ou se fazem parte do seu jogo de porcelana chinesa. Para eles, é tudo igual.

Leia bastante sobre crianças para evitar uma reação exagerada, como dar palmadas numa criança por ela fazer algo que está de acordo com seu desenvolvimento. Lembre-se: seu objetivo não é controlar a criança; seu objetivo é estar em posição de autoridade de maneira saudável. Se tudo o que você faz é controlar uma criança que se deixa dominar com tranquilidade, então você está preparando essa criança para ser uma presa fácil nos anos da adolescência, quando a pressão dos colegas substitui a influência dos pais.

Não estou sugerindo que você deva ser relaxada em sua disciplina, mas não coloque um rótulo de rebelião em todo ato infantil ou em cada experimento induzido pela curiosidade.

8. FALTA DE DISCIPLINA

Jason Kidd, uma das estrelas do basquete norte-americano, joga num estilo bastante vistoso. Ele encontra e cria caminhos de passagem que poucos poderiam imaginar, e isso o transforma num dos jogadores favoritos dos fãs, assim como num bem-vindo colega de equipe para aqueles que se beneficiam de seus passes.

Mas a história de Jason tem seu lado obscuro.[3]

Depois de cinco anos de casamento, a tensão na casa de Kidd atingiu um nível bem elevado. Em 18 de janeiro de 2001, ele explodiu quando Joumana, sua esposa, lhe disse para não pegar a comida do prato de T.J. (o filho deles). Jason respondeu cuspindo uma batata frita nela. Depois, deu-lhe um soco no rosto.

Joumana correu para o andar de cima, trancou-se no banheiro e ligou para a polícia. Seguindo o protocolo, o atendente da emergência ligou de volta para ela, e Jason atendeu o telefone. Ele o passou para Joumana, que contou ao atendente o que havia acontecido. Mais tarde, T.J. assistiu à polícia levar seu pai embora.

A bem da verdade, Jason se esforçou bastante para controlar sua raiva. Ele frequentou as seções de aconselhamento e disse a Joumana que chamar a polícia foi a coisa certa a fazer. A terapeuta, que diz já ter trabalhado com atletas em cerca de duzentos casos de violência doméstica, comenta que nenhum reagiu "tão positivamente" quanto Kidd.

Mas o dano já fora feito.

S. L. Price, repórter da revista *Sports Illustrated*, observou como T.J. já copia o drible e o posicionamento de Jason "com precisão impressionante".

Infelizmente, não é só isso que ele imita.

Price observou enquanto Jason estava filmando um comercial — uma tarefa longa, árdua e normalmente entediante. T.J. estava ficando sem paciência, e Joumana estava fazendo o que podia para impedir que o filho entrasse no local de gravação, o que somente atrasaria a filmagem e faria que começassem tudo de novo.

Numa tentativa desesperada de distrair o menino, Joumana o agarrou e perguntou: "Como foi sua aula na escola hoje?".

T.J. se virou e "acertou um direto no rosto" dela, com a mão direita.

Joumana simplesmente segurou a mão dele e repetiu a pergunta.

T.J. acertou-a novamente e, então, foi embora. Em vez de disciplinar seu filho, Joumana simplesmente jogou uma bola na direção dele. T.J. riu, pegou a bola e começou a brincar com ela, tal como seu pai.

Esta história ensina a importância de duas coisas. Primeiro, as crianças estão assistindo e elas imitarão não apenas nossos bons hábitos, mas também os ruins. Segundo, as mães não podem ignorar um desrespeito tão flagrante.

Agora que adverti você de não exagerar na disciplina do seu filho, quero apresentar um contraponto, insistindo para que não o discipline de menos. Existe um limite entre esperar perfeição e deixar seu filho fazer tudo o que quiser sem consequências; nem sempre é fácil, mas você precisa encontrar a paciência para disciplinar de maneira consistente.

Quando as crianças vão mal, normalmente costumo apontar para um dentre dois problemas: ou elas foram excessivamente disciplinadas por pais rígidos, ou lhes foi permitido seguir livremente. As duas pontas do espectro arruínam o caráter de qualquer um.

Com os primogênitos em particular, você precisa definir claramente quais são as regras — precisa segui-las. As regras devem ser justas e têm de estar de acordo com a idade (isto é, guardar um brinquedo para que seu filho fique sem brincar com ele durante um dia), e deve haver consequências para o não cumprimento dessas regras. A razão de isso ser tão importante para os primogênitos é que o primeiro filho não tem o benefício de observar os irmãos mais velhos; ele não tem em quem se espelhar para lidar com suas roupas sujas, por exemplo. Você precisa lhe dizer.

Ora, é certo que existe uma diferença entre ser específico e exagerar. Quando seu filho lhe pergunta que horas são, você não deve fazer uma palestra sobre a história do relógio, desde o relógio de sol. Por outro lado, como eu já disse, com um primogênito você talvez tenha de dizer mais que simplesmente "quase meio-dia". Outra maneira de colocar a questão, para usar alguns clichês, é dominar as coisas maiores e não exagerar nas pequenas. Uma criança que derruba uma almofada não é algo tão sério; uma criança de 3 anos que dá um tapa no rosto de sua mãe é uma coisa séria, que deve ser tratada, e não ignorada.

9. DEIXAR OUTRAS PESSOAS CRIAREM O FILHO

Este é o seu filho. Ninguém mais o amará como você o ama. Ele pode ter chegado num momento inconveniente. No que se refere à sua carreira, ele pode representar um grande contratempo para seu crescimento profissional. Talvez você não esteja financeiramente pronta. Mas ele está aí. O que você vai fazer em relação a isso?

Você não pode colocar seu filho no "modo espera" por cinco anos até que você esteja financeiramente mais segura e sua carreira tenha se estabilizado. A cada segundo, as crianças marcham cada vez mais rápido pela estrada da independência — e raramente retrocedem. Um bebê estará nos braços o dia inteiro; uma criança de 2 anos ficará no colo só um pouco de tempo, até que queira descer para correr.

Se você não diminuir o ritmo nos primeiros três anos, adivinhe só? O "cimento fresco" da vida de seu filho já terá começado a endurecer. De fato, os primeiros cinco anos serão os mais importantes da vida de seu filho, em termos de desenvolvimento. Você está disposta a desprezar essa fase até que consiga deixar seu emprego em ordem? Espero que não!

Se houvesse outra maneira, eu ficaria bem feliz em lhe dizer qual seria, mas não há. A pessoa que passa a maior parte do tempo com seu filho nesses primeiros cinco anos é aquela que mais influenciará seu desenvolvimento. O local onde seu filho cresce terá um grande impacto sobre seus valores, crenças e atitudes. Se você criar um ambiente sadio e harmonioso em torno de seu primogênito, essa criança provavelmente terá uma perspectiva saudável e bem equilibrada da vida.

Isso significa que você terá de tomar algumas decisões difíceis — e fazer alguns sacrifícios. Mas, no final, valerá a pena. Este assunto é tão importante — e tão calorosamente discutido pelos pais de primeira viagem — que merece um capítulo inteiro (veja o capítulo 6, "Trabalhar fora de casa ou não?").

Outra maneira de deixar que outra pessoa crie seu filho é ceder muito facilmente aos conselhos de seus pais ou sogros. Como mãe de primeira viagem, pode ser que leve um tempo até que você assuma seu papel como adulta, responsável pelas decisões que toma. Mas lembre-se de que você não está mais debaixo da autoridade de seus pais. Você precisa fazer o que *você* achar melhor — não importa o que seus pais ou sogros pensem (ou o que digam na sua frente ou nas suas costas). É você quem está no comando, de modo que deve assumi-lo. Ninguém conhece seu filho melhor que você.

10. PERMITIR QUE O FILHO SEJA O CENTRO DO UNIVERSO

Até os 2 anos de idade, a palavra preferida de uma criança é *meu*. Isso é especialmente verdadeiro em relação ao primogênito, que raramente precisa compartilhar alguma coisa. Uma criança que começa a andar está começando a se identificar consigo mesma e com as coisas ao redor, e associa a si mesma toda pessoa e todo objeto. Uma pessoa que a trata de maneira agradável é uma pessoa agradável (até que aquela pessoa faça algo que a desagrade). Um brinquedo que ela quer é um brinquedo que ela tem de ter, simplesmente pelo fato de que ela o quer.

A mãe esperta ensinará a seu filho a importância de compartilhar e de dar.

Ei, mamãe, dê uma olhada em volta: o que você vê no supermercado ou no *shopping center*? Você vê o que eu vejo? Você vê crianças de pouco menos de 1 metro fazendo todo tipo de exigência aos adultos? "Não, eu não quero Batavinho; eu quero Danoninho!" Ao olhar ao redor, vejo um monte de crianças pequenas, hedonistas e egocêntricas, com um único propósito: "Tudo para mim!".

Você consegue culpá-las? Pense naquilo que lemos. Revistas como *People, Self, US*, até mesmo o jornal *USA Today*, na seção Vida — todos eles estão cheios de histórias sobre pessoas que olham para a vida e dizem "Tudo para mim!". Por nossa própria natureza, nós nos importamos primeiramente conosco. Mas não é bom ler sobre alguém que se entregou sacrificialmente por outra pessoa? Talvez um irmão tenha doado um rim à sua irmã menor; talvez um presidiário que, ao sair no indulto de Natal, encontra uma carteira com 1.000 reais e a devolve. Como podemos criar filhos para que sejam assim?

Felizmente, penso que essa mentalidade do "eu primeiro" está chegando ao fim. Ou pelo menos estamos finalmente acordando para o fato de que outras pessoas são importantes, têm necessidades e desejos. Essa é uma lição que precisa ser ensinada às crianças pequenas.

Contudo, você deve ter consciência de que as crianças com menos de 2 anos passam naturalmente pelo estágio do "meu". Tentar forçá-las prematuramente a deixar isso não vai funcionar. Há pouco tempo, estive num restaurante onde havia uma mãe e seu filho de 1 ano e meio sentados logo atrás de mim. Além da criança de um 1 ano e meio, a mãe tinha consigo um bebê de colo. Por alguma razão, a mãe insistia que a criança mais velha compartilhasse seu livro com o bebê, que obviamente não podia lê-lo. Isso só fez a criança de 1 ano e meio gritar ainda mais alto: "Meu livro, meu livro, meeuuu liiivrooo!".

Embora eu compreendesse, e até mesmo apoiasse, o desejo dela de criar um filho capaz de compartilhar, minha vontade era me virar e dizer-lhe que seu filho estava passando por um estágio de desenvolvimento psicológico e social observado em qualquer criança. A insistência da mãe sobre o compartilhamento do livro com o irmão menor — que não podia ler ou que nem mesmo gostaria do livro — era não apenas um esforço inútil, como também não ajudaria seu filho em nada.

Você não pode forçar todas as lições — nem mesmo as mais importantes. À medida que se aproximar dos 3 anos, a criança vai melhorar na questão do compartilhamento, contanto que você não a tenha levado a se ressentir do processo antes disso! Compartilhar é algo que você ensina por meio da demonstração. Você deixa seu filho ficar com alguma coisa sua e diz: "Viu só, Jorginho? Mamãe divide com você, papai divide com você, vovô e vovó dividem com você. Às vezes você precisa dividir com a bebê Alice".

À medida que passam dos 3 para os 4 anos, as crianças ficam mais agressivas em relação a isso. Ajude seu primogênito a desenvolver a autodisciplina, esperando sua vez, sem furar a fila do quiosque de sorvete de casquinha: "Querido, precisamos esperar. Está vendo as outras pessoas à nossa frente? Aquele menino vai pegar o sorvete dele, depois aquela menina vai pegar o dela, depois aquele papai com seus dois filhos vai pegar os sorvetes deles e então será a nossa vez. Agora, precisamos pensar: qual é o sabor que vamos querer quando chegarmos lá na frente?". Você precisa ensinar seus filhos a ter consciência dos outros e não furar a fila de maneira egoísta.

É por isso que, se seu filho for a única criança da família, você pode considerar o jardim de infância como uma opção interessante pela seguinte razão: quando uma criança chega aos 3 anos, ela precisa ser ensinada a compartilhar, a esperar a vez, a competir e a trabalhar com outras crianças. Se seu filho não tem irmãos, a escolinha é um bom lugar para aprender essas lições. Se não frequentar o jardim de infância, certifique-se de reservar momentos de brincadeira nos quais ele possa interagir com outras crianças — e de que você nem sempre virá em seu socorro antes que ele tenha tempo de desenvolver suas próprias interações com as demais crianças.

ARREDONDE OS CANTOS

Todos esses dez erros giram em torno das mais prováveis deficiências de caráter de um primogênito. Você pode criar um líder ou um tirano, dependendo de como a criança aprende a ser altruísta ou egoísta. Você pode criar um influenciador ou um delinquente juvenil, dependendo do fato de seu primogênito ser disciplinado de maneira excessiva ou de não receber disciplina. Você pode criar um primogênito hábil ou ressentido, conforme você olha para ele em tom de crítica ou lhe fornece uma dose saudável de vitamina E.

Portanto, aceite as qualidades singulares de seu filho, abrace as tendências que os primogênitos desenvolvem em razão de seu lugar na árvore genealógica da família, mas depois arredonde os cantos mais ásperos. Elimine as pontas afiadas. Ele já está programado para o sucesso. Seu trabalho é simplesmente apontá-lo na direção certa.

Os dez erros mais comuns dos pais de primeira viagem
Olhar crítico
Excesso de atividades
Falta de vitamina N
Falta de vitamina E
Envolvimento no jogo de comparações
Excesso de agitação
Excesso de disciplina
Falta de disciplina
Deixar outras pessoas criarem o filho
Permitir que o filho seja o centro do universo

CAPÍTULO 6

Trabalhar fora de casa ou não?

Não muito tempo atrás, enquanto matava tempo no aeroporto de Atlanta, esperando meu voo para Buffalo, no estado de Nova York, sentei-me ao lado de uma criança loira, digna de sair em capa de revista; ela estava acompanhada de sua mãe, de aparência bem italiana.

A mãe se virou nervosamente quando me viu. Não havia dúvidas de que estava pensando "Oh, não. Agora vou ter de manter meu filho especialmente quieto. Esse cara é velho o bastante para ser avô, mas e se ele não for? Não sei se ele é paciente. E se o bebê começar a fazer bagunça?".

Para deixar a mãe calma logo de cara, eu lhe disse com um sorriso nos lábios:

— Que sorte a minha! Sentar-me ao lado de um bebê tão lindo. Ela é uma graça! Adoro bebês! Eu mesmo já tive cinco. Agora, nossa mais nova tem 11 anos e a mais velha está com 30. O tempo realmente voa.

Ficou notório que a mãe relaxou e, então, sorriu.

Durante nossa conversa nos vinte minutos seguintes, antes do anúncio do voo, a mãe confessou:

— Na verdade eu não queria filhos. E certamente não estava pronta para ficar em casa com eles. Minha carreira estava indo muito bem. Então Anne chegou — disse ela, apontando para sua filha. — Bem, aí eu me apaixonei. Por minha filha. De repente, a escolha que eu relutava em fazer desde o momento em que descobri que estava grávida, que era trabalhar ou não trabalhar, deixou de ser uma decisão difícil.

Mulheres do século 21, vocês têm escolhas. Vocês estão fazendo muito mais do que qualquer outra geração de mulheres já fez. Um exemplo: o próprio avião que peguei para Buffalo era pilotado por duas pessoas — e uma delas era mulher. As gerações femininas anteriores nem sonhariam com tal oportunidade de carreira.

Talvez por isso seja tão difícil para as mães atuais, enquanto lutam com suas próprias decisões sobre trabalhar fora de casa ou não. As mães de hoje têm todo tipo de escolhas, e essas opções podem ser fatigantes. Vamos considerar apenas algumas delas:

- Poderia trabalhar em tempo integral no escritório.
- Poderia trabalhar em tempo integral em casa.
- Poderia trabalhar por meio período no escritório e meio período em casa.
- Talvez eu pudesse trabalhar apenas algumas horas por semana.
- Poderia fazer uma pausa na minha carreira por alguns anos e voltar em meio período quando meu filho estiver no jardim de infância.
- Poderia ser mãe de tempo integral em casa.

Uma vez que as opções podem estar girando bem à sua frente, dedico este capítulo à mais importante decisão que você vai tomar no primeiro ano de vida do seu filho: quem vai criá-lo?

LEMBRANÇAS PARA TODA A VIDA

Se você já jogou golfe, pode se lembrar daquelas poucas vezes em que tudo deu certo, desde o momento em que você deu a primeira tacada. Ao ir até a bola, bem distante do ponto inicial, você olha para trás e pensa: "Será que eu realmente bati tão forte assim?". Você tenta recordar o que fez para chegar até ali, de modo que possa fazer a mesma coisa no próximo buraco.

Na vida, olhar para trás pode ser um excelente guia para aquilo que o futuro lhe reserva, de modo que quero que você faça uma pequena jornada por sua própria infância. Reserve um instante agora mesmo para fazer uma pausa e pensar em algumas de suas melhores lembranças, da época em que você era uma criança pequena. O que vem à sua mente?

Algumas de minhas melhores recordações incluem brincar fora de casa em um dia frio de novembro na cidade de Buffalo, Nova York, jogando pedras no lago de peixes Kinguio do vizinho, ou brincando com meus caminhões, movendo areia pelo parquinho. Mas sabe qual lembrança é ainda melhor? Ouvir minha mãe me chamar para o almoço e me servir sopa quente de tomate com sanduíche de queijo. Mamãe sempre colocava manteiga por cima da minha sopa de tomate — ainda consigo visualizar aquela manteiga cremosa se espalhando e cobrindo o prato. Eu simplesmente adorava aquele sabor!

Certo dia, mamãe, que parecia um pouco apressada, me perguntou se eu poderia preparar minha própria sopa e meu sanduíche. Fiz uma cara bem séria e lhe disse: "Bem, acho que posso, mas tenho certeza de que o gosto é melhor quando você prepara, mamãe".

Era tudo o que ela precisava ouvir. Ela deixou de lado o que estava fazendo e me preparou um lanche do qual nunca vou me esquecer.

Pense no que acabei de dizer. Estou na casa dos 50 anos e já comi mais de 75 mil sanduíches em toda a minha vida. De quantos deles eu me lembro? Não muitos. Dezenas de milhares de lanches se foram, e nunca serei capaz de me lembrar deles. Sendo assim, por que me lembro daquele almoço em particular, que comi com sopa de tomate e manteiga derretida por cima?

Eu me lembro porque ele carrega sentimentos calorosos que me conectam à minha mãe.

Muito bem, você ainda está me acompanhando? Ótimo. Um dia, este filho que você está segurando terá seus 50 anos, assim como eu tenho agora. Isso pode parecer um tempo muito lá na frente, mas vai chegar mais cedo do que você imagina. Quando alguém perguntar ao seu filho sobre algo que o faz lembrar da infância, será que ele vai falar da atendente da creche que lhe colocou esparadrapo no joelho? Será que vai fazer piadas sobre os lanches coletivos que fazia enquanto era cuidado na creche? Será que vai falar sobre o dia em que estava amarrado em fila, com outras quinze crianças, enquanto passeavam pelo parque com a funcionária do mês?

Ou ele vai falar sobre tardes de outono e sobre tomar uma xícara de chocolate quente enquanto mamãe lia seu livro de histórias favorito? Será que ele vai rir ao se lembrar dos passeios em cima do carrinho enquanto você ia à padaria comprar um litro de leite? Será que vai se lembrar do perfume que você usava quando o abraçou apertado depois de ele ter caído da bicicleta, de você ter lavado carinhosamente o joelho dele e colocado um curativo do Ben 10?

A decisão que você tomar nas próximas semanas determinará exatamente que tipo de lembranças seu pequeno menino ou menina terá daqui a cinquenta anos. Também desempenhará um grande papel no tipo de mãe ou pai que *seu filho* se tornará um dia. Ao tomar essa decisão, quero desafiá-la a se envolver com sentimentos de conforto que *você* teve quando criança. Examine vários deles de perto e aposto que você descobrirá que cada sentimento em particular está associado a um evento que aconteceu com seus pais.

Se você cresceu num lar saudável, então sabe que era amada e reconhece que seus pais fizeram muitos sacrifícios em seu favor. Alguns sacrifícios foram pequenos: papai deixando o jornal de lado para ensiná-la como chutar uma bola; mamãe deixando você "ajudar" a preparar um bolo, muito embora ela soubesse que levaria o dobro do tempo fazendo o bolo *com* você em vez de *para* você. Outros sacrifícios podem ter sido mais significativos: papai arrumando um segundo emprego; mamãe usando roupas mais velhas a fim de economizar algum dinheiro para suas roupas; a família optando por ficar com um mesmo carro até ele completar 200 mil quilômetros antes de comprar outro carro usado.

"SACRIFÍCIO" NÃO É UMA PALAVRA PROIBIDA

Se eu estivesse escrevendo este livro uma geração atrás, poderia citar muito mais coisas. Houve um tempo em que os pais esperavam fazer sacrifícios em favor de seus filhos. Muito embora seu padrão de vida fosse, de maneira geral, inferior ao de hoje, ainda assim eles receberam alegremente um número maior de filhos em casa. Os tempos certamente mudaram. Os pais costumavam ter muitos filhos; hoje, os filhos têm muitos pais — e estes têm cada vez menos tempo.

Um relatório de 1999 do Council of Economic Advisors [Conselho de Assessores para Economia] descobriu que os pais norte-americanos têm vinte e duas horas a menos por semana para ficar em casa, em comparação com a média de 1969. Robert Putnam, sociólogo de Harvard, estima que "em relação a meados da década de 1970 a frequência das refeições em família é cerca de um terço menor". Putnam também acredita que "os pais têm mais de 30% a menos de chance de tirar férias, assistir à televisão ou até mesmo conversar com seus filhos".[1]

Você quer dar continuidade a essa tendência? Ou isso é algo contra o que você quer lutar? Ao escolher ser mãe, você também está optando por fazer sacrifícios. Ao trazer uma nova pessoa para sua família, você aceitou uma enorme responsabilidade. E isso significa que seu tempo, sua energia e suas prioridades não giram mais em torno de você. Para algumas mulheres, essa é uma transição muito difícil. Mas lembre-se deste fato importante: *ninguém pode criar seu filho como você*. Alguns dos sacrifícios que você fizer agora farão uma tremenda diferença na vida de seu filho, e o primeiro é certificar-se de que, caso você seja casada, você ou seu cônjuge fique em casa com seu filho em tempo integral.

Sim, eu sei que você se formou como uma das dez melhores alunas da sua turma — e que você é mais esperta que a maioria dos homens que já conheceu. Você pode até mesmo ter um mestrado ou outra graduação. Mas ainda estou pedindo que você ou seu marido façam uma pausa na carreira. Se seu marido deseja ficar em casa e tem índole para lidar com cólicas, nariz escorrendo e troca de fraldas, que assim seja. Não me importo com qual dos pais fica em casa, mas creio que um precisa ficar. Antes de revirar os olhos para cima e me chamar de sonhador, ou de imaginar que eu cresci na idade das trevas, dê-me ouvidos. Depois disso, você poderá tomar sua própria decisão.

Um estudo recente realizado pela Universidade Columbia descobriu que crianças cujas mães assumiram um trabalho de trinta horas semanais ou mais antes de a criança atingir 9 meses de idade tiveram pontuação menor em testes de desenvolvimento tanto mental quanto verbal. O efeito foi maior entre meninos do que entre meninas.[2] E esses não são os únicos efeitos nocivos. Tentamos enganar a nós mesmos achando que o fato de manter nossos filhos distantes de nós na maior parte do dia não vai afetá-los de fato, mas isso realmente acontece — em termos intelectuais, emocionais, relacionais e espirituais.

Apenas pare um instante e pense na maravilhosa responsabilidade que o Deus todo-poderoso deu a você. Seu filho não é um acessório em sua vida. Você não fez a assinatura da televisão a cabo tendo como brinde o campeonato nacional de futebol. As decisões que você toma sobre quem cuidará de seu filho vão literalmente ajudar a moldar outro ser humano. Por que você não desejaria fazer tudo o que pode para deixar uma impressão positiva na vida de seu filho? Mais uma vez falando como psicólogo, garanto que você não pode fazer tudo isso à distância, nem em tempo parcial. Uma criança merece cuidado em tempo integral de pelo menos um dos pais — se for possível.

MAS O QUE FAZER COM AS CONTAS?

A todo lugar que vou, as mulheres me dizem: "O senhor não entende, dr. Leman. Eu preciso trabalhar".

Tenho dificuldades com a palavra *preciso*. É comum que *preciso* seja sinônimo de desejar dirigir certo modelo de carro, viver em determinada localidade e passar as férias em lugares exóticos. Também costuma significar "com dinheiro extra, seremos capazes de fornecer mais oportunidades aos nossos filhos".

Como o quê? Colocar seu filho na grande corrida da vida mais rapidamente ao inscrevê-lo em toda atividade disponível, de modo que ele "não fique de fora"?

Já ouvi muitos casais insistirem que tanto o marido quando a mulher devem trabalhar em tempo integral e suponho que, em raras circunstâncias, isso possa ser verdade. Mas, penso eu, é muito comum que não seja. Na maioria dos casos, os dois cônjuges trabalham simplesmente para aumentar suas posses. Se você é mãe solteira, é bem provável que, de fato, tenha de trabalhar — mas as perguntas importantes que você deve fazer a si mesma são similares: "Quanto estou trabalhando? É para realmente prover às nossas necessidades verdadeiras? Apenas para aumentar meu patrimônio? Garantir todas as oportunidades 'certas' para meu filho?".

Quando estiver disposta a se sacrificar, você aprenderá como viver sem alguns privilégios e sem vários bens extras. Quando Holly nasceu, eu e Sande tínhamos apenas um carro. Nós dois crescemos em famílias com dois carros, e todas as pessoas que conhecíamos tinham dois carros, mas não tínhamos condição de adquirir um segundo veículo porque havíamos concordado que Sande ficaria em casa com as crianças. Como tomamos a decisão? Fizemos a nós mesmos perguntas semelhantes àquelas que compartilharei com você mais adiante neste capítulo.

Por causa daqueles anos, sei como é o medo de viver com despesas que sempre parecem maiores que o salário. Não sou insensível nem estou desacostumado com as necessidades financeiras reais. Sei exatamente como é ir às compras e ter de escolher entre comprar leite ou sabão em pó.

As pessoas olham para mim agora como um autor de *best-sellers* com duas casas, mas nem sempre foi assim. E certamente não era assim quando os três primeiros filhos eram pequenos. Em 1981, antes de eu começar a publicar livros e de exercer a profissão de conselheiro, ganhava apenas 22 mil dólares por ano, ou seja, menos de 2 mil por mês. A propósito, tínhamos três filhos naquela época. Quando recebemos uma carta anunciando que o financiamento de nossa casa subiria de 188 para 212 dólares por mês, eu quase morri. Ainda me lembro de ter segurado aquela carta e pensado: "Como vamos conseguir pagar isto?". Por mais surpreendente que possa parecer, eu honestamente não tinha a menor ideia de onde tiraríamos 24 dólares a mais por mês, mas fizemos o que um grande número de pais fizeram: apertamos o cinto, cortamos gastos e fizemos sacrifícios.

Porém, nunca questionamos nossa decisão de manter Sande em casa. Assim que nos casamos, Sande trabalhava como representante de vendas da companhia telefônica Bell. Ela deixou o emprego quando Holly nasceu. Assim que as crianças chegaram à idade escolar, Sande tornou-se professora de pré-escola, de modo que pudesse estar em casa quando as crianças chegassem e ainda ajudar com o orçamento doméstico.

Houve muitos momentos humilhantes durante aqueles anos. Não comprávamos muitas roupas, mas aceitávamos com gratidão as doações que de alguma maneira chegavam a nós. Nossa maior extravagância era ir a uma lanchonete onde a família inteira, com cinco membros, comia por menos de 15 dólares.

Uma vez que tínhamos apenas um carro, e eu precisava usá-lo para trabalhar, os maiores passeios de Sande aconteciam quando meu pai a levava com as crianças ao Sambo, estabelecimento que vendia cafezinhos a 10 centavos de dólar.

Foi um sacrifício, mas sobrevivemos a ele. E quer saber de uma coisa? Não mudaríamos nada daquilo. Por mais louco que possa soar, às vezes sinto certa saudade daqueles anos em que passei dificuldades, confiei em Deus, e senti-me muito feliz por saber que Sande estava em casa com as crianças. Isso me lembra de uma antiga música de Johnny Mathis, intitulada "The Hungry Years" [Os anos de fome], na qual ele diz que sente falta do tempo de escassez.

Veja o outro lado da história, algo que normalmente você não ouve: embora tenhamos feito sacrifícios por bons dez anos para realizar nosso sonho de ter Sande em casa com as crianças, hoje desfrutamos de três décadas vividas como família bastante unida. Meu amigo Cabeça de Lua (sim, eu sei, que nome!) sempre ri ao ver a maneira como cada membro de nossa família se debulha em lágrimas quando alguém vai ficar ausente um tempo. Ansiamos por mais outras tantas décadas fazendo parte de uma família que quer permanecer junta, mesmo que todos já sejam adultos.

Então, diga: vale a pena passar uma década de sacrifício para viver cinco ou seis décadas como parte de uma família bastante especial e próxima?

Você acha que nossos filhos gostariam de ficar juntos se a vida no lar tivesse sido apressada, estressante e cheia de interrupções geradas pelas múltiplas atividades, a ponto de mal termos tempo de conhecer uns aos outros? Tempo sem pressa pela manhã é a última coisa disponível a uma mãe que trabalha; e energia é a última coisa que ela tem à noite. Como resultado, o bebê normalmente perde nas duas pontas.

Você acha que nossos filhos considerariam o lar como um lugar agradável se tivessem sido criados o tempo todo numa creche? Posso parecer radical nessa questão, mas uma vida inteira de aconselhamento a famílias me convenceu de que não pensariam assim.

Sande e eu podemos ter feito sacrifícios, mas hoje estamos colhendo as recompensas a cada dia, agora que nossos filhos são adultos.

FATORES A CONSIDERAR

Embora você já saiba o que Sande e eu escolhemos fazer em relação ao trabalho dela quando nossos filhos eram pequenos, toda família precisa tomar sozinha a decisão sobre trabalhar ou não. É por isso que cada família tem uma dinâmica diferente — gerada por diferenças de a) personalidade; b) nível de energia; c) renda, para citar apenas algumas questões.

Descubra qual é seu nível de energia
Vamos encarar os fatos. Algumas pessoas têm mais energia que outras. Elas precisam de menos horas de sono. Também conseguem administrar mais atividades e mais pessoas com menos estresse que outras. Para você, tornar-se mãe será uma das responsabilidades mais estressantes e que exigirão mais tempo. Se trabalhar em tempo integral ou em meio período já exaure você *hoje*, e se *agora* você tem dificuldade para administrar outras tarefas da vida (lavar roupa, cozinhar, fazer suas coisas), perceba que será muito mais difícil com uma criança. Isso sem mencionar o fato de que você terá mais atividades combinadas com várias interrupções de sono, e de que talvez você não esteja no auge da forma física, mental e emocional.

Ajuste-se à idade, à fase, às necessidades e à personalidade de seu filho
A questão de você trabalhar fora de casa ou não (ou até mesmo como *freelancer*, dentro de casa) pode variar, dependendo da idade de seu filho. Pode ser mais fácil, por exemplo, adaptar algumas horas quando seu filho conseguir dormir duas vezes por dia. Quando seu filho tira apenas uma soneca, e em determinado dia não dorme no mesmo horário, as horas de trabalho reservadas para qualquer coisa diferente de cuidar da casa e da criança podem ser poucas e raras. Quando seu filho estiver no jardim de infância, pode ser mais fácil trabalhar de dez a quinze horas por semana, em blocos de duas ou três horas por dia.

Também é preciso destacar que algumas crianças simplesmente precisam de mais interação contínua do que outras. Pode ser que sua filha se sente ao seu lado na própria mesinha de brinquedo, e fique pintando alegremente enquanto você consegue realizar uma boa hora de trabalho no computador. Seu vizinho pode ter uma filha que não consegue ficar sentada por mais de cinco minutos sem interação paternal e sugestões de novas atividades. Algumas crianças se adaptam facilmente à agitação e ao barulho, de modo que estar num grupo com outras crianças é agradável para elas. Outras, mais introspectivas por natureza, talvez precisem de quietude para se desenvolver emocionalmente, e não conseguem isso quando estão constantemente com outras crianças.

Somente você pode julgar a idade, a fase, as necessidades e a personalidade de seu filho. Apenas lembre-se disto: aquilo que você decidir agora pode não funcionar daqui a um ano. Você precisa ser flexível, adaptar-se, analisando cuidadosamente aquilo de que seu filho precisa e quando precisa. Isso significa que você tem de estudar seu filho — é necessário *conhecê-lo* intimamente.

Descubra qual é sua verdadeira motivação para querer trabalhar

Se você está considerando a ideia de retomar sua carreira ou permanecer nela em tempo integral ou parcial, ou pelo menos cumprir algumas horas semanais para permanecer em seu campo de atuação, faça a si mesma algumas perguntas honestas: Você está considerando a ideia de trabalhar por causa das contas ou do plano de saúde? Você sente que precisa de um trabalho para "ser" alguém? Para mostrar valor? Para manter sua posição de poder na família? Para provar que você *pode* gerar renda e, portanto, ser valiosa?

Estar consciente de suas motivações ocultas pode ajudá-la a tomar uma decisão sólida, uma que será saudável para seu filho também.

Não se esqueça de que, ao contrário do que acham algumas pessoas, ser mãe já é um trabalho em tempo integral — e é um trabalho verdadeiro, um dos mais ocupados de todo o mundo. De que outro trabalho você nunca tira férias? Não, você não recebe pagamento no final do mês. Mas as recompensas são muito mais duradouras que algumas notas de dinheiro em suas mãos.

Esteja ciente dos custos de uma escola ou creche em tempo parcial ou integral

Muitos presumem que trabalhar sempre será financeiramente benéfico para a família. Mas considere com atenção os custos do cuidado com seu filho. Se ele permanecer numa creche ou escola, ou até mesmo na casa de alguém, você normalmente pagará uma taxa mensal ou, dependendo da situação, algum valor por hora. Uma mãe me disse: "Na área de Chicago, tenho uma despesa de 8 dólares por hora para deixar meu filho na casa da minha amiga. Isso significa que me custa 64 dólares por um dia inteiro no escritório. Se eu ganhar 15 dólares por hora, quer dizer que, na realidade, estou trabalhando por 7 dólares a hora, isso sem descontar a gasolina e o tempo para levar e buscar meu filho. Já me perguntei: 'Será que vale a pena? Estar longe de meu filho por um dia inteiro para ganhar cerca de 5 dólares por hora quando levo em conta os custos de transporte e alimentação fora de casa?'".

Muitas creches adotam um sistema tal que, ainda que você decida tirar o dia de folga do trabalho para fazer alguma coisa agradável com seu filho, você tem de pagar de qualquer forma por aquele dia. (Isso garante o lugar da criança naquele local.) Portanto, você não tem tanta flexibilidade para entrar e sair de uma creche. Também podem surgir gastos adicionais para levar a criança ao passeio ao zoológico ou ao museu, por exemplo.

Portanto, avalie cuidadosamente aquilo que você está *realmente* ganhando em termos financeiros ao pagar uma creche.

Reconheça as despesas ocultas para se trabalhar fora de casa

Esta é uma questão em que muitas das pessoas que trabalham fora terminam se perdendo. Quando você trabalha fora de casa (seja em meio período, seja em tempo integral), muitas vezes é preciso manter um guarda-roupa profissional, ainda que esteja no escritório por apenas algumas horas. Se estivesse em casa com seus filhos, você poderia comprar dez vestidos "de casa" pelo preço equivalente ao de um vestido apropriado para o trabalho fora.

Você também gastará mais em alimentação, comprando "comida pronta" em vez de cozinhar? Ou suas refeições costumam ser mais do tipo "para viagem", compradas no restaurante, ou entregues em domicílio, em vez de serem preparadas da maneira tradicional, caso você seja dona de casa?

Quanto dinheiro você vai gastar em transporte para ir e voltar do trabalho e do lugar onde seu filho passará o dia?

Procure o tipo de ambiente no qual seu filho se sentirá seguro

Mais uma vez, voltamos à questão do temperamento da criança. Existem diversas opções — permanecer em casa em tempo integral com seu filho, optar pela creche em tempo parcial ou integral, contar que vovó e vovô serão babás de tempo parcial, usar uma creche da igreja. As possibilidades e combinações parecem não ter fim, mas *você* é quem precisa escolher o que é melhor para seu filho. Afinal de contas, você é a responsável por cuidar dele integralmente.

OPÇÕES DE CUIDADOS FORA DE CASA

Lembre-se sempre de que você tem opções — e que você não precisa fazer as coisas "como todo mundo faz". Depois de examinar os fatores expostos, se você ainda estiver numa posição em que necessite considerar que seu filho não será cuidado diretamente por você ou por seu cônjuge, pense com carinho no tipo de ambiente no qual a criança se sentirá segura.

Às vezes a creche é uma necessidade. Você pode ser mãe solteira e realmente não ter alternativa. Ou seu marido pode estar muito doente para cuidar dos filhos ou para trabalhar, e sua família precisa de renda. Você pode estar afundada em dívidas e pode ser forçada a ter de trabalhar para solucionar o problema. Algumas de vocês vivem tais situações. É por isso que este capítulo não tem o propósito de fazer que você se sinta culpada, mas de lhe dar informação prática, que possa ajudá-la a tomar a melhor decisão para sua família, dadas as circunstâncias.

Considere um membro da família ou uma amiga próxima
Se você vem de uma família saudável e mora suficientemente perto do vovô e da vovó, tire vantagem disso. Não, talvez eles não prometam fornecer "estímulos intelectuais", pintura, jogos com letras e números etc., mas eles podem prover outros grandes benefícios. Primeiro, é provável que eles já amem seu filho — e qualquer criança responderá positivamente à segurança e ao afeto desse amor. Segundo, eles conhecem seu filho, e seu filho os conhece, de modo que é menos provável que a criança demonstre alguma tensão ao ser separada de você por um período. Terceiro, eles muito provavelmente vão permanecer por perto. Eles não são do tipo de profissionais que ganham salário mínimo e partem tão logo alguém lhes ofereça 75 centavos a mais por hora para trabalhar em outro lugar. Ficar com os avós também abre uma avenida de aprendizado completamente nova, como aprender a fazer biscoitos que derretem na boca e descobrir que, embora mamãe ofereça apenas uma guloseima por dia, o limite do vovô e da vovó são quinze.

Melhor ainda: verifique se o vovô e a vovó podem vir até sua casa. Se não puderem vir sempre que você precisar de alguém para cuidar do seu filho, peça que venham um dia ou dois por semana. Além disso, seu filho terá o benefício de estar em casa, seu lugar favorito.

Se os avós não estiverem disponíveis, talvez você tenha uma irmã que fica em casa com os filhos dela e que cobraria de você apenas um pequeno valor para ficar com seu filho. Se você não tiver nenhum parente nessa situação, talvez tenha uma amiga próxima. O que quero dizer é que um parente ou um amigo — e preferivelmente outro pai — oferecerá melhor cuidado emocional do que um estranho pago para cuidar da criança.

Que tal uma creche "doméstica"?
Alguns pais que querem permanecer em casa com seus filhos e precisam de renda decidem montar uma creche "doméstica", tendo sob seus cuidados cerca de quatro ou cinco crianças, além das suas. Uma boa maneira de investigar tal possibilidade é pesquisar em sua igreja local ou em seu círculo de amigos. Será ainda melhor se você já conhecer uma mãe que esteja fazendo isso. Mas, se não conhecer, telefone para alguém que atue com isso. Ainda que a pessoa seja altamente recomendada por alguém que você conhece, marque uma visita

à casa dela — durante o dia, enquanto as crianças estiverem lá. Veja o tipo de atividades desenvolvidas com as crianças, examine a sala de recreação, pergunte de que maneira essa pessoa lida com a disciplina, como atua nos dias em que os pais tiram folga, e na época de férias. Descubra quantas crianças ficam com ela ao mesmo tempo, e em que faixa etária se enquadram. E certifique-se de que ela tenha alguma formação ou certificação para fazer isso.

Verifique se alguma igreja presta serviços desse tipo
Se você está envolvida numa igreja que tem um programa de cuidados com crianças, vale a pena verificar. Muitas vezes, os serviços realizados por uma igreja contam com uma equipe cujos membros têm um senso de "ministério" — ou pelo menos são voluntários que cedem seu tempo porque realmente se importam em ver crianças se desenvolvendo nos campos emocional, relacional, físico e espiritual. Portanto, faça uma visita. Leve seu filho com você para ver como ele interage com outras crianças e com os funcionários adultos dali. Faça perguntas similares às que você faria para uma pessoa que mantém uma "creche doméstica".

Avalie pessoalmente as instituições que cuidam de crianças
Se for imprescindível que você coloque seu filho numa creche ou escola, escolha o lugar com muita atenção. O dinheiro não deve ser sua preocupação principal; talvez você precise se sacrificar para arrumar uma quantia extra por mês, mas valerá a pena fazer isso para colocar seu filho no melhor lugar possível.

Faça uma pesquisa cuidadosa e ouça diversas opiniões. Depois, visite os estabelecimentos selecionados. Durante a visita, pergunte a si mesma: "Este é o lugar no qual eu gostaria de ficar se fosse uma criança? Os adultos aparentam se importar realmente em cuidar das crianças?". Para descobrir essas coisas, você precisará fazer a visita durante os horários normais de funcionamento e deverá se planejar para permanecer ali por pelo menos algumas horas. Lembre-se de que você não está escolhendo um mecânico para o seu carro; está colocando seu filho sob os cuidados de outra pessoa — não apenas por meia hora, mas pelas melhores horas da vida dele, cinco dias por semana. Qualquer grupo de profissionais pode apresentar uma boa fachada por vinte minutos, mas será difícil mascarar a realidade se sua visita durar horas.

As instituições que cuidam de crianças me fazem lembrar de uma fazenda de frangos que visitei certa vez. As galinhas da raça Rhode Island Red são muito boas poedeiras. Os fazendeiros as mantêm naqueles pequenos cubículos brancos, e o trabalho de cada uma delas é produzir um ovo ou dois por dia.

Manter todo mundo em cubículos individuais é adequado se seu objetivo é produzir um ovo, mas não é um bom ambiente se seu propósito for produzir um ser humano compassivo e produtivo. Por acaso estou dizendo isso para que você se sinta mal se seu filho estiver atualmente numa creche ou numa escola? Não. Mas fatos são fatos: não é possível disfarçar a preocupação de uma mãe. Não há como uma funcionária da creche, com vinte a trinta crianças sob sua responsabilidade, imitar a experiência maternal, seja qual for o salário que ela receba. Portanto, esperar que essas instituições funcionem assim é estar totalmente fora da realidade. Infelizmente, ficar preso numa sala com outras quinze crianças durante oito horas por dia não é um ambiente saudável, nem mesmo equilibrado.

Simplesmente pense nas pessoas que normalmente trabalham em creches ou escolas infantis. Todo tipo de pesquisa mostra que a rotatividade de funcionários é espantosamente alta na maioria desses estabelecimentos porque, em geral, o salário é muito baixo. Isso significa que as crianças precisam se acostumar com a cuidadora do mês enquanto a creche trabalha intensamente para contratar outra funcionária — que, de maneira geral, tem baixo nível de escolaridade, caso contrário não aceitaria os salários tão irrisórios que a maioria das creches oferece (veja o livro *Home by Choice* [Optando por ficar em casa], da dra. Brenda Hunter).

Minha regra prática é a seguinte: se você não quiser que seu filho fale de determinada maneira, então não o deixe com alguém que fala daquela maneira oito horas por dia, cinco dias por semana.

Caso você esteja questionando se uma creche ou escola é ou não o lugar certo para seu filho, veja a seguir uma pequena lista de coisas a considerar (em adição às perguntas que já fiz anteriormente nesta seção sobre outros tipos de cuidado com a criança).

1. *Quão saudável é o lugar?* As instalações são limpas? Qual a aparência dos banheiros? Os brinquedos que são postos na boca de outras crianças são lavados ou são simplesmente jogados de volta na pilha de outros objetos? Verifique o local onde são trocadas as fraldas. As funcionárias lavam as mãos antes de trocar a próxima criança? A mesa é limpa após cada troca de fraldas?

2. *Qual é a taxa de rotatividade de pessoal?* Não permita que os supervisores deem respostas genéricas, como "muito pequena" ou "abaixo da média". Recomendo que os pais conversem com funcionários individualmente, iniciem uma conversa agradável e então perguntem: "Há quanto tempo você trabalha

aqui?". Se a maioria dos funcionários estiver ali há menos de dois anos, você já tem a sua resposta: a rotatividade é bastante alta.

Ouça a conversa dos funcionários: seus filhos vão imitar os padrões de fala deles. Você está tranquila quanto a isso? Em seu maravilhoso livro *Home by Choice*, a dra. Brenda Hunter desafia e esclarece os leitores ao lembrá-los de que a pessoa que ensina uma criança a falar é a mesma que ensina a criança a pensar. Em razão dessa enorme influência, você precisa ter bastante confiança na pessoa que se tornará o principal cuidador de seu filho.

3. *Como a equipe lida com a disciplina?* Enquanto olha em volta e avalia, pergunte a si mesma com honestidade: este é o tipo de pessoa em quem eu confio para disciplinar meus filhos? Que tipo de disciplina você vê acontecendo ao seu redor? É o tipo de disciplina com a qual você se sente confortável?

"Oh, dr. Leman, nós não deixaríamos a creche disciplinar nossos filhos!"

Entendo muito bem esse sentimento; eu também não gostaria que um estranho disciplinasse meus filhos. Mas considere o seguinte: você acha que seu filho vai passar sete ou oito horas por dia sem ser disciplinado? Nunca conheci uma criança de 2 anos que não o fosse!

ESCOLHAS DIFÍCEIS

A questão se resume a isto: estou pedindo a você que faça todo tipo de sacrifício por seu filho. Percebo que a palavra *sacrifício* é quase tão popular quanto a palavra *capacho* em nossa sociedade, mas eu gostaria de argumentar mais uma vez, como já fiz antes, que o sacrifício está no cerne da criação de filhos. Nunca encontrei um pai que fosse bom e ao mesmo tempo egoísta. Nunca.

"Mas, dr. Leman, todos os nossos amigos colocaram seus filhos na creche."

Você realmente quer que sua família se pareça com a família de todo mundo? Esse não é o objetivo que tenho para os meus filhos, e espero que não seja o que você tem para os seus.

Pense que um psicólogo pode cobrar mais de 200 reais por hora para ajudar pessoas a lidar com seus filhos indisciplinados. É mais barato fazer um investimento de tempo, amor e sacrifício nos primeiros cinco ou seis anos da vida de seu filho do que poupar esforços e ter de pagar o preço depois. Se você tomar esses atalhos, é bem provável que termine no consultório de algum conselheiro, na esperança de poder "curar" seu filho, chorando porque você e o seu adolescente estão de tal modo distantes em termos emocionais a ponto de não entender um ao outro. Você pode ainda ter de fazer um empréstimo para pagar fiança, custear atos de vandalismo, ou bancar alguma outra besteira adolescente.

Com cinquenta centímetros de altura, seu bebê pode parecer incapaz de causar problemas, mas todo e qualquer delinquente juvenil começa como um lindo e fofo bebê. Apenas lhe dê comida, água, falta de atenção paterna e dezesseis anos para crescer, e você se surpreenderá com o trabalho que ele pode dar.

Portanto, pratique a criatividade! Talvez você possa encontrar um emprego que lhe permita trabalhar em meio período em vez de período integral, conciliando sua agenda com a de seu marido ou a de outra mãe solteira, de modo que você possa reduzir o tempo que seu filho fica na creche. Não espere que essas oportunidades caiam em seu colo; você precisará buscá-las. Ore em relação a isso. Converse com todo mundo que você conhece. Seja obstinada, porque você nunca terá um compromisso mais importante a cumprir.

O que estou falando tem nome — *job sequencing* em inglês, algo como "revezamento de cargo"— e foi praticado por ninguém menos que a juíza da Suprema Corte dos Estados Unidos Sandra Day O'Connor, que deixou a advocacia por um breve período de tempo, voltou depois de cuidar de seus filhos pequenos e ainda conseguiu chegar ao ponto mais alto de sua profissão. Muitas pessoas estão seguindo o exemplo de O'Connor e adotando o revezamento de cargo. Aqueles com quem conversei estão muito felizes com a escolha. Uma mulher me disse: "Sei que eu poderia ter ido muito mais longe na minha carreira se não tivesse parado por algum tempo, mas meus filhos nunca dirão que se sentiram lesados. Priorizei minha vida e coloquei minha família no topo da lista. Não me entenda mal — eu gostava muito da minha vocação, mas a escolha que fiz quanto a permanecer em casa por um tempo reflete aquilo em que acredito, e penso que isso é o que importa".

Dou muito crédito a uma mulher como essa. As mães de hoje têm todo tipo de alternativa. Tomar a difícil decisão agora é uma boa prática para o futuro, pois, como mãe, você tomará decisões difíceis pelas próximas duas ou três décadas. Tivemos três filhos na universidade ao mesmo tempo. Se você acha que roupas de bebê são caras, pense na mensalidade da faculdade (uma de nossas filhas estava numa escola de arte bastante cara). Apenas pense. Ainda há muita coisa esperando por você!

TUDO TEM A VER COM O FUTURO

Recentemente, Sande realizou o velho sonho de abrir uma loja de móveis antigos, que ela chamou de *The Shabbie Hattie*. Dá muito trabalho fazer uma coisa dessas funcionar, e Sande postergou os planos enquanto as crianças mais velhas ainda precisavam de sua atenção. Mas ainda temos uma adolescente e uma pré-adolescente em casa, de modo que Sande e eu tivemos uma conversa há pouco tempo para acertar a saída dela da loja às 14h15, a fim de que possa buscar uma de nossas filhas enquanto eu busco a outra. Esse horário parece ridiculamente cedo para sair de uma loja que está sob seu comando, mas lembrei a Sande de que ela precisa de um descanso antes da hora do jantar. Nossa família considera o jantar algo sagrado. É o momento do dia em que todos nós ficamos juntos pelo período mais longo; portanto, não tratamos esse momento de qualquer maneira.

Isso é um sacrifício? Pode apostar que sim, mas existem grandes recompensas. Não muito tempo atrás, um editor veio até Tucson para conversar comigo sobre um manuscrito. Sande o convidou para jantar, e toda nossa família estava em casa, incluindo meu genro. Nas várias outras vezes em que conversamos, o editor elogiou com entusiasmo o jantar, falou quanto havia se divertido e quão impressionado ficara com a alegria de nossa família simplesmente por estarmos todos juntos. O que ele não pôde ver é que isso acontece o tempo todo em nossa casa; não foi um evento especial. Nossos filhos realmente gostam de estar juntos. E ficamos humildemente maravilhados.

Sim, os sacrifícios doem no curto prazo, mas, no longo prazo, eles pagam enormes dividendos.

Estabelecer que um dos pais ficará em casa, adaptar sua agenda ou redefinir o número de horas de trabalho pode ser uma decisão difícil, mas a criação de filhos é uma tarefa para gente adulta, e ela vai exigir que você tome muitas decisões difíceis durante as próximas duas décadas. Alguns anos atrás, eu e Sande tomamos a difícil decisão de tirar nossos filhos da escola pública. Sentimos que era importante para eles receberem uma educação cristã, onde tudo é ensinado em relação à fé em Cristo. Escolas particulares custam um caminhão de dinheiro e, quando mudamos da escola pública para a particular, costumávamos polir cada moeda que entrava em casa antes de gastá-la.

Mas tenha uma coisa em mente: o que parece um sacrifício agora pode não se mostrar um sacrifício de fato quando você tentar realizá-lo.

Conheço uma mãe que era muito bem-sucedida em sua profissão. Como executiva da área de contabilidade, ela ganhava 70 mil dólares por ano, e sempre sonhou em ser uma mulher de carreira. Ela tem um diploma de MBA, adora os negócios em que atua, gosta de lidar com vendas e aceitou alegremente os quatro meses de licença-maternidade que a empresa lhe concedeu (período algo dez vezes maior que a maioria das mães norte-americanas consegue obter).

Mas uma coisa interessante se revelou em sua volta ao trabalho: ela se apaixonara por seu filho. "Eu não podia imaginar perder um dia desse presente maravilhoso da vida; então, tive de tomar uma decisão difícil", disse-me ela.

Uma decisão ainda mais difícil foi tentar imaginar como falar com o marido sobre isso. "Ele quase morreu quando lhe contei o que estava pensando", admite ela. "Ele realmente não conseguia acreditar, pois sempre me vira como aquela mulher interessada na empresa. E, é claro, a primeira coisa que vimos foram os 70 mil fugindo pela janela. Ele até mesmo disse: 'Creio que também devemos dizer adeus à nova BMW e começar a procurar uma mini*van*'."

Admiro a coragem dessa mulher. Ela me disse com toda a franqueza: "Eu sou a mãe, e não quero perder um dia sequer da vida do meu filho. Eu certamente não quero colocar meu filho nas mãos de uma mulher que ganha salário mínimo, que vai ficar no máximo de três a seis meses e nunca mais vai pensar nele outra vez".

Embora essa mulher tenha tomado uma decisão bastante corajosa, ninguém vai aplaudi-la de pé pela escolha que fez. Sua escolha não resultará numa reportagem na revista *Você S/A*. Ela não terá a alegria de receber uma promoção ou um aumento de salário. Sua aposentadoria complementar vai sofrer uma enorme redução. E a principal pessoa a se beneficiar de todo esse sacrifício — o filho dela — nem mesmo percebe que ela está fazendo um sacrifício. Mas ela está determinada a não deixar que outra pessoa além dela cuide de seu filho.

Existem mães que precisam trabalhar? Sim — e você pode ser uma delas. Especialmente se você for a única assalariada — ou se ganhar o principal salário da família. Mas apenas lembre-se disto: você é uma mulher de escolhas. Você sempre pode ser criativa e descobrir uma maneira de seu filho ter tanto tempo "em casa" quanto possível. Muitos empregos oferecem flexibilidade de agenda ou possibilidade de trabalhar em casa. Portanto, não se venda — nem a seu filho — muito facilmente, sem considerar em oração todas as opções.

CAPÍTULO 7

O cuidado com seu "outro filho"

Se você é casada, provavelmente já percebeu que tem mais de um filho vivendo com você neste exato momento. Existe o bebê de pouco mais de 50 centímetros que dorme no berço, e existe o menino de 1,8 metro que dorme na sua cama.

Exatamente no momento em que a maioria das mulheres quer, mais do que nunca, que seu marido aja como um homem — sustentando, oferecendo força, conforto, assumindo responsabilidades, sendo altruísta, sacrificando —, elas costumam encontrar exatamente o oposto: o maridão age como criança. (E, rapazes, se vocês estiverem lendo isto, não saiam bravos de onde estão. Continuem lendo — se não por outro motivo, pelo menos para desafiar minhas palavras e provar que estou errado — e vejam se alguma coisa que digo aqui pode ter alguma semelhança com você.)

O QUE ESTÁ ACONTECENDO?

Palavra de psicólogo: este é um processo muito comum e normal pelo qual os homens passam. Não considere seu marido anormal se ele estiver apresentando esse comportamento, até mesmo se estiver com ciúmes do bebê. Isso acontece o tempo todo.

Da perspectiva de seu marido, a coisa que ele mais gostava no casamento — ter você toda para ele, sempre que ele quisesse — lhe foi abruptamente tirada.

Os jantares ficaram para depois. O sexo mudou radicalmente. É preciso ser mais do que criativo para fazer sexo com uma mulher no final da gravidez e, depois do parto, o sexo para totalmente até que a esposa se recupere. E, assim que o corpo da mulher está de fato recuperado, o marido logo descobre que a energia dela está esgotada, e que uma mãe que amamenta e troca fraldas não cheira mais a Chanel nº5. Para aquelas que "escolheram" um filho, você está se ajustando à maternidade instantânea e à mesma falta de energia, isso sem mencionar os "cheiros de bebê" que, em outras épocas, deixariam você enojada.

Aqui vai um pequeno segredo: até mesmo seu marido está frustrado por se sentir assim. Ele não pode acreditar que seja tão mesquinho a ponto de realmente ter ciúme do tempo e da energia que você dedica à criança. Ele está tão surpreso com o fato de estar tendo esses sentimentos quanto você está estarrecida por ele sentir essas coisas.

Mas elas estão presentes.

O que vocês dois vão fazer em relação a isso?

O CASAMENTO NÃO PODE PRENDER A RESPIRAÇÃO

Quero que você faça uma coisa por mim. Antes de continuar lendo, segure a respiração por cinco segundos. Apenas cinco segundos, é tudo o que estou pedindo. Pronta? Segure.

Tudo bem, algumas de vocês estão trapaceando. Vamos lá, são apenas cinco segundos! Faça o que peço! Vou lhe dar mais uma chance: segure a respiração e conte até cinco.

Bom. Todas vocês, exceto as mais teimosas, estão cooperando com a minha ilustração. Agora, quero que você segure a respiração por cinco minutos.

Pronta? Vai!

O que aconteceu? Por que é que você nem mesmo tentou? Aqui está a razão: você sabe que *ninguém* consegue segurar a respiração por cinco minutos — e, se o fizesse, você se machucaria. Cinco segundos são moleza; cinco minutos, e o dano cerebral pode começar a acontecer!

Seu casamento é mais ou menos assim. Preparar-se para o novo bebê significou que você e seu marido tiveram de colocar um pouco do romance em pausa. Vocês estão "segurando a respiração" em termos relacionais. Vocês não estão dando ao seu casamento o oxigênio que nós, conselheiros, chamamos de romance. Isso é compreensível. É difícil sentir-se romântica quando parece haver uma melancia nadando em seu estômago ou quando você está constantemente preenchendo os papéis da adoção (ou pulando da cadeira todas as vezes que o telefone toca, esperando por aquela tão aguardada recomendação). E seu casamento consegue se sustentar enquanto você segura a respiração durante essa breve temporada.

Agora, porém, que a melancia está fora do seu corpo (ou, se for uma criança escolhida, não é mais apenas papelada e sonhos) e usa fraldas, você ainda precisa continuar segurando a respiração?

"Dr. Leman", posso ouvir algumas de vocês dizerem, "o senhor não entende. Alimentar essa criança e cuidar dela me deixa cansada o dia inteiro. Para sair à noite, eu precisaria tomar um banho, encontrar algumas roupas limpas, passá-las, colocar um pouco de maquiagem, encontrar uma babá e então tentar não cair no sono às 19 horas. Só em pensar nisso já me sinto desolada. E, quando chegarmos em casa, ele vai querer sexo".

Não estou pedindo que você faça alguma coisa nesse sentido todos os dias. Estou pedindo que você marque um único compromisso que pagará dividendos que você nem imagina. Quando a cura física permitir, e você estiver certa de que seu corpo pode lidar com relações sexuais de novo, faça disso um grande evento. O tempo normal de espera para reiniciar as relações sexuais é de seis semanas, muito embora esse seja um número completamente arbitrário. Fisiologicamente, você pode fazer sexo assim que o sangramento parar, o que normalmente acontece num prazo de duas a três semanas, mas isso não significa que seu corpo se sentirá pronto para relações sexuais, e você não precisa se sentir obrigada a apressar as coisas. Particularmente, se você passou por uma episiotomia, precisará de tempo extra para se recuperar. Mas, quando você souber que está pronta, faça do reinício um evento especial.

É fato que retomar as relações sexuais costuma ser uma das últimas coisas em que as jovens mães pensam. Seis semanas podem passar e elas nem sequer perceberem! O corpo ainda está se recuperando do período de gravidez, e as mães estão de tal modo envolvidas no cuidado com o bebê que não se importariam em esperar doze semanas ou mais.

Mas o seu "outro filho" não está assim tão disposto a esperar, e esse "outro filho" é muito importante para o bem-estar do seu bebê a longo prazo. Tendo como base a preocupação com seu marido, gostaria de encorajá-la a pelo menos considerar a perspectiva da intimidade sexual tão logo seu corpo permita.

De fato recomendo que você faça da primeira vez algo particularmente especial. Busque seu marido no trabalho, leve-o a algum lugar à noite e pareça o mais entusiasmada que você puder, mesmo em meio à exaustão: "Já faz bastante tempo, querido, e mal posso esperar para fazer amor com você de novo". Certifique-se de mostrar ao seu marido que você também sente falta do sexo.

Por causa das mudanças em seu corpo, faça um favor a si mesma e leve um lubrificante vaginal. Mesmo que você nunca tenha precisado de um lubrificante, a queda repentina dos níveis de estrógeno em seu corpo e algumas alterações psicológicas do pós-parto podem reduzir sua lubrificação natural. Ter uma pequena ajuda tornará a primeira vez depois do parto algo mais agradável a vocês dois.

Outra grande mudança em sua vida romântica, sobretudo se você está amamentando, tem a ver com seus seios. Eles agora estão maiores do que nunca, e o marido pode estar mais interessado neles do que antes. Mas vamos encarar os fatos: seios usados para amamentação são mangueiras de incêndio prestes a explodir! Talvez você precise usar sutiã de amamentação com bojo — e, ainda assim, pode vazar. Pode ser que ajude se você alimentar o bebê pouco antes de ter relações sexuais, mas isso não é garantia. Além disso, seios usados para amamentar têm uma coisa em comum (pelo menos no início): mamilos doloridos e, em geral, rachados. Não espere que seu marido simplesmente "saiba" disso. Seja honesta com ele e explique o que está acontecendo. Ele pode ficar desapontado, mas vai superar.

Depois de o sexo ter sido retomado, talvez uma vez por mês, continue fazendo algo especial para se somar aos momentos regulares de intimidade sexual. Leve seu marido para um lugar bastante privado e seguro enquanto uma amiga cuida de seu filho por uma hora. Relembre a ele o que significa "prazeres da tarde". Essas pequenas escapadas não vão durar muito, mas seu marido ficará muito grato. Você não terá tempo ou energia para fazer isso toda semana, mas será que não consegue fazer algo especial uma vez por mês?

Entendo que a exaustão acompanhará você até a cama na maioria das noites, fazendo que até mesmo as melhores intenções desfaleçam debaixo do peso do cansaço. Mas espero que você se lembre de que o relógio sexual de seu marido continuará funcionando mesmo quando o seu estiver parado. Antes mesmo de estar pronta para retomar a relação sexual, você pode ser bastante criativa e carinhosa, satisfazendo-o sem usar partes de seu corpo que estejam temporariamente fora de uso. (Você poderá encontrar mais ajuda sobre essa questão do sexo no casamento em meu livro *Entre lençóis: uma visão bem-humorada da intimidade sexual no casamento*, publicado pela Mundo Cristão.) Não quero ser muito explícito aqui, mas você sabe do que estou falando: deixe seus dedos caminharem! Será menos estressante, você não vai se sentir como se tivesse de montar um *show*, e seu marido ficará feliz por ter uma esposa tão sensível.

O mais importante é que, ao fazer isso, você estará trazendo de volta ao seu casamento o tão necessário oxigênio. Em última análise, a pequena pessoa que mais se beneficiará disso será seu primogênito; é ele quem colherá os benefícios de ser criado num casamento saudável e feliz.

PAIS SENTADOS NO BANCO DE TRÁS

Uma reclamação comum que ouço de jovens mães é que seu marido mostra muito pouco interesse em ajudar com as coisas do novo bebê. A mãe não consegue entender isso, pois o bebê tornou-se seu mundo. Ela não consegue deixar de beijar o filho durante todo o dia e, então, depois de um dia inteiro sem ter visto o bebê, o papai chega, calça as chuteiras e sai para jogar com os amigos. As esposas me perguntam sem rodeios: "O que há de errado com ele?".

Evite atitudes que afugentem o marido
Algumas coisas estão acontecendo, e você precisa estar ciente delas. Muitos de nós, homens, assumiram o "banco de trás" no que se refere à criação de nosso primogênito por uma razão bastante compreensível: nossa esposa foi tão competente que nos sentimos simplesmente desnecessários. O rapaz pensa da seguinte maneira: "O bebê precisa ser cuidado, mas mamãe está fazendo um trabalho fabuloso; então, acho que isso me deixa livre para fazer alguma outra coisa". Pode parecer loucura para você, mas esse é o raciocínio masculino quanto à resolução de problemas. Não significa que ele não ame você ou a criança — e não quer dizer que ele não queira ser envolvido.

Outra razão pela qual os rapazes talvez não ajudem é que eles são colocados "de escanteio". Com isso quero dizer que, quando eles realmente conseguem trocar uma fralda, a esposa ri e diz: "Você não sabe colocar uma fralda?! Você colocou ao contrário!". Depois, o maridão escuta sua esposa rir do episódio da próxima vez em que conversa com a mãe dela ou com a melhor amiga.

Basta que isso ocorra uma única vez para que um homem decida que nunca mais vai trocar uma fralda de novo.

Outros comentários que colocam o homem "de escanteio":

- "Não, querido, ela gosta de ser colocada para arrotar deste jeito."
- "Bobinho, não adianta, ele só vai dormir daqui a uma hora ou mais."
- "Você se lembrou de passar loção no bumbum antes de colocar a fralda limpa?"
- "Não seja ríspido com ela; é apenas um bebê!"

Depois de apenas alguns desses comentários, seu marido provavelmente vai se fechar. Você não consegue fazer que ele seja mais interessado em seu filho, mas, infelizmente, você é capaz de desencorajá-lo a ajudar. Todo homem quer ser um herói, mas nem todas as mulheres nos deixam ser heróis — elas querem que nós façamos as coisas de determinada maneira (ou seja, da maneira delas) e são hábeis em nos ridicularizar se fizermos alguma coisa apenas um pouco diferente.

Os casamentos que passam mais facilmente pelos anos de criação de filhos são aqueles nos quais a esposa aprende como apreciar a maneira diferente pela qual seu marido se importa com o bebê e a respeitar o papel singular do marido na vida de seu filho. Vamos analisar cada um desses itens separadamente.

Segredo nº 1: Aprecie as diferenças de seu marido

Aqui está um pequeno segredo: da perspectiva masculina, é como se seu marido pensasse que o bebê é um tipo de brinquedo muito legal e com pernas. Talvez ele não coloque a questão usando essas palavras, mas, esta noite, simplesmente sente-se de lado e assista a seu marido brincando com o bebê — e, quando a criança ficar mais velha, papai vai jogá-la no ar e apanhá-la. Mesmo agora, o papai pode rodopiar com o pequeno pela sala. Embora seu marido venha a ter momentos de sutileza, ele também terá seus instantes mais "brutos". E sabe de uma coisa? É assim que deve ser.

Os bebês precisam de mamães e de papais. Eles não precisam de papais que agem como mamães nem de mamães que tentam agir como papais. Permita ao seu marido que ele seja um homem para seu bebê. Essa criança é mais resistente do que você imagina, e, embora você provavelmente entenda como ela gosta de ficar para arrotar, será que seu método é particularmente importante quando o papai consegue produzir os resultados desejados?

Posso até mesmo concordar que sua maneira de ser mãe seja a melhor, mas vou discordar seriamente de você tentar dizer que seu jeito de cuidar é o único jeito. Esse é o tipo de pensamento que deixa os homens loucos — e que, em última análise, os faz ficarem calados.

É importante que você respeite essas diferenças logo de início, se quiser que seu marido seja bastante envolvido na vida dessa criança. Toda pesquisa que já observei revela: "Tal pai, tal filho". O pai deixa uma marca indelével sobre sua filha (leia mais sobre isso em meu livro *What a Difference a Daddy Makes* [A diferença que faz um pai]). Seu marido é o fundamento sobre o qual sua filha vai internalizar o sentido da palavra *confiança*. Ele é o modelo com o qual ela vai comparar todo homem que competir por suas afeições. Se seu marido for uma influência saudável, há enormes chances de que ela venha a escolher um bom homem como cônjuge. Se seu marido for uma influência negativa, ela se sentirá estranhamente atraída por homens perigosos.

Caso seu bebê seja um menino, seu marido se tornará um retrato de tudo o que aquela criança deseja ser. Seu filho imitará tanto o que é bom quanto o que é ruim e até mesmo esquisito. Em determinada ocasião, quando meu filho Kevin tinha por volta de 3 anos, eu pigarreei e cuspi pela janela enquanto dirigia o carro. Cinco segundos depois, ouvi o barulho característico de um escarro e me virei bem a tempo de ver Kevin tentando cuspir pela mesma janela. Infelizmente, sua mira estava torta em cerca de 50 centímetros, e aquela cuspidela acertou no meio do meu pescoço!

Simplesmente ri daquilo e desprezei o fato, considerando-o como uma experiência de criação de vínculo entre pai e filho. Estava bem seguro de que Sande jamais ensinaria Kevin a pigarrear e cuspir; portanto eu sabia que isso dependia de mim.

Minha cunhada certa vez ficou furiosa com meu irmão porque ele ensinou o filho deles a fazer suas necessidades no mato. Meu irmão gosta de caçar, pescar e andar no mato e, para quem gosta de viver ao ar livre, é preciso aprender como responder ao chamado da natureza quando se está no meio do nada, sem nenhum banheiro à vista.

Até aqui, tudo bem, a não ser pelo dia em que minha cunhada levou meu sobrinho, então com 3 anos de idade, ao *shopping center*. Eles passeavam por um pátio interno com árvores e plantas e seguiram para outra loja, quando, de repente, minha cunhada percebeu que meu sobrinho não estava mais caminhando ao lado dela. Ao olhar para trás em pânico, ela viu uma pequena multidão pasma: todos balançavam a cabeça em sinal de indignação. Lá estava meu sobrinho, regando uma das árvores do pátio, exatamente como papai lhe havia ensinado!

Ora, é claro que meu irmão nunca desejou ensinar seu filho a regar as árvores internas de um *shopping*. Mas aqui está algo bastante valioso na vida de um filho ou filha quando papai separa um tempo para ensinar a pescar, a gostar da vida ao ar livre ou a brincar de um jeito pesado, mas sadio. Ao alimentar um filho, talvez o pai não garanta que todos os grupos alimentares estejam representados no prato. Quando o leva para comer, pode deixar que tome um refrigerante e coma uma sobremesa. Ele pode até levá-lo para ver filmes de dinossauros que você acha melhor que a criança *não veja. Simplesmente seja grata por seu marido estar envolvido,* ser ativo e estar presente. Seu filho ou filha precisam que ele seja um homem. Incentive seu marido a cuidar dos filhos do jeito dele, e não o "espante" da casa.

Segredo nº 2: Respeite o papel dele

Não sou extremamente rígido em relação ao papel de cada gênero. Contanto que um dos pais fique em casa com a criança, estou feliz. Apesar disso, também percebo que, na maioria das vezes, é o homem que volta ao trabalho enquanto mamãe permanece em casa, e por uma boa razão, especialmente se ela deu à luz o bebê: ela possui todo o equipamento que papai não tem para cuidar de um recém-nascido.

Se esse é o seu caso, você precisa respeitar o papel distante, mas muito importante, que seu marido desempenha como provedor. Da perspectiva de seu marido, atender às necessidades financeiras da família é sua principal tarefa e seu foco. E agora que vocês são três, ele sente essa pressão como nunca antes, pois precisa cuidar da família a longo prazo. Isso cria mais estresse para ele do que você possa imaginar. Antes de desprezá-lo, pense nisto: a provisão financeira realizada por seu marido é muito importante — presumindo que você queira viver numa casa em vez de morar numa caixa de papelão. Seu marido pode chegar cansado ou estressado, mas ele trabalhou por você o dia inteiro, e isso merece respeito e apreciação. Não o julgue simplesmente por ele não dividir com você a troca de fraldas enquanto está em casa — a não ser que você não se importe se ele comparar o salário dele com o seu.

Você também pode ficar surpresa — uma vez que sente o peso da responsabilidade por seu filho minuto a minuto — ao saber que seu marido sente esse peso também. Você não é a única impactada pela chegada dessa criança. Muitos homens se sentem desesperados perto de um bebê e extremamente responsáveis pelo bem-estar de sua família agora que há uma criança envolvida. Eles me disseram que esse sentimento é ainda mais forte quando têm uma filha. Eles pensam: "Ela é tão pequena, tão frágil. Eu realmente preciso proteger minha menina". Essa responsabilidade pode, às vezes, fazer que um homem se sinta inepto, como se ele fosse um fracassado. Os homens dão ao papel de provedor exatamente a mesma importância que você dá ao papel daquela que nutre.

Dito isso, é certamente razoável que você espere que ele seja um pai envolvido. Se você achar que seu marido está saindo do equilíbrio, investindo muito tempo e energia no trabalho e não o suficiente em casa, primeiro tente entender a pressão que ele está sentindo. Talvez ele ache que precisa trabalhar aquelas horas a mais para não perder o emprego. Ele quer ajudar você, mas, secretamente, teme que seu salário desapareça. Na mente dele pode estar a ideia de "primeiro o mais importante", ou seja, garantir o salário no final do mês e só depois ser mais presente em casa.

Certifique-se de começar a conversa apoiando o papel de provedor por ele representado. Diga-lhe, em palavras que ele possa ouvir, quanto você aprecia seu esforço no trabalho em favor da família. Depois, e somente depois, você terá conquistado o direito de gentilmente sugerir que espera um pouco mais de envolvimento da parte dele. Você pode dizer algo mais ou menos assim:

"Querido, sei que você anda trabalhando muito e realmente valorizo todo o esforço que você está dedicando para que possamos pagar as contas e viver nesta casa. Quero que você saiba que oro por você todos os dias, e a primeira coisa que digo a Deus é: 'Obrigada por me dar um marido tão trabalhador'. Contudo, de fato desejo que você dê um pouco mais de atenção ao bebê. Às vezes parece que você passa mais tempo na frente da televisão do que brincando com sua filha, e isso me preocupa. Sei que você precisa relaxar, mas o bebê precisa de tempo com você também. Isso é mesmo importante, não apenas para nossa filha, mas igualmente para mim. Não me casei com você para que eu fosse uma mãe solteira, mas uma parceira. Sei que os pais fazem enorme diferença na vida de seus filhos, e você tem algo a dar que eu não tenho. Estou fazendo alguma coisa que impede você de se envolver mais?".

Quando seu marido responder, realmente escute — e não fique na defensiva. Se você está fazendo ou dizendo algo que o desanima de ser um pai ativo, não gostaria de ficar sabendo agora, em vez de descobrir daqui a vários anos? E não tente fazê-lo compreender os motivos de o jeito dele estar errado. Trabalhe no sentido do entendimento mútuo, assim como você fazia em outras áreas de seu casamento antes de ter esta criança. Não é uma questão de quem está certo e quem está errado, mas sim de como vocês dois podem se ajustar *às* novas responsabilidades surgidas com a chegada de uma criança à família.

HÁ ALGO QUE PODE SURPREENDER VOCÊ

Sou homem desde que nasci. Alguns dos meus melhores amigos são homens. Aconselho homens o tempo todo. Isso me deu certa compreensão dos homens, e eu gostaria de compartilhá-la com você (veja mais detalhes em meu livro *Making Sense of the Men in Your Life* [Entendendo o papel dos homens em sua vida]).

Os homens tendem a melhorar com a idade. Às vezes somos melhores como avôs do que como pais. Alguns de nós passam mais tempo com o quarto filho do que passamos com o primeiro. Precisamos de tempo para conseguir seguir adiante. Não somos nutridores naturais como são as mães. Dê-nos tempo.

Queremos ser seu herói. Talvez nem sempre nos comportemos assim, saindo para jogar bola ou convidando um bando de amigos para assistir ao jogo, sem pensar na limpeza da casa ou na interrupção da soneca do bebê. Lá no fundo, porém, nós realmente queremos ser seu herói. Procure extrair o melhor de nós. Elogie aquilo que você quer ver repetido. E, então, nos dê oportunidade de vir em seu resgate. Se não fizer que nos sintamos bobos, iremos até o fim do mundo por você.

O reforço positivo funciona melhor conosco do que a repreensão negativa. Você vai extrair mais de um elogio do que de uma reclamação. Você fará que nos envolvamos mais com a família, por exemplo, estando sexualmente disponível do que negando sexo para nos punir.

Se você realmente quiser nos entender, tenha um menino, acompanhe seu crescimento e perceba que, em certos aspectos, até mesmo homens crescidos são "meninos" ansiosos por agradar a principal mulher de sua vida. Lá no começo, era nossa mãe. Mais tarde, essa mulher é a nossa esposa. Você pode aprender mais sobre seu marido ao criar um filho do que aprenderia lendo livros ou trocando histórias com suas amigas.

CAPÍTULO 8

Lá vem o primogênito — o impacto da ordem de nascimento

É difícil que você consiga ser mais competitiva que o ex-técnico do Chicago Bears, Mike Ditka. Seu time, vencedor do campeonato nacional de futebol americano de 1985, era conhecido pelas jogadas duras e ofensivas, que espelhavam a personalidade tempestuosa de seu técnico. Você poderia pensar que, na aposentadoria, Ditka relaxaria um pouco.

De jeito nenhum.

Agora, como ávido golfista, Mike aparentemente não conhece o significado da frase "Vamos com calma". Quando era jogador e técnico de futebol americano, ele viu mais sangue do que gostaria nas competições. Sangue e futebol caminham juntos. Mas sangue e golfe?

Bem, quando se pensa em Mike Ditka, essas palavras, ao que parece, realmente caminham juntas.

Certa vez, Mike perdeu uma tacada bem próxima ao buraco. Ora, tendo jogado golfe, não espero que alguém responda com um simples "Lamentável!", mas Mike ficou tão frustrado que decidiu aposentar sua bola ao bater nela com seu taco no "estilo beisebol". Ele jogou a pequena bola branca de golfe no ar e girou o taco como se estivesse prestes a conseguir um *home run* digno de final de campeonato.

O único problema é que, no exato momento em que Ditka ia realizar sua tacada, seu parceiro de jogo por acaso se curvou.

"Acertei-o no meio da testa e tirei um naco de pele dele", disse Mike à revista *Sports Illustrated*. "Ele estava tomando remédios anticoagulantes para afinar o sangue naquela época, de modo que levou muito tempo para que a hemorragia fosse estancada."

Mas isso não é nada em comparação com o episódio em que Mike provocou um sangramento *em si mesmo*. Mais uma vez a culpada foi uma bola curta perdida. "Eu estava no buraco 18 e, em vez de agir como um ser humano, peguei o taco e o dobrei por trás das minhas costas", conta Mike. "Fiz isso tranquilamente. O problema é que o taco quebrou e a parte denteada bateu atrás da minha orelha."

Felizmente, Mike estava jogando com um médico, que conseguiu interromper o sangramento. Mas o ex-técnico estava com pressa, pois fora chamado para dar uma palestra no centro da cidade. Ele rapidamente trocou de roupa e conseguiu chegar à convenção bem na hora. No meio de sua apresentação, Mike notou que a plateia de repente começou a olhá-lo horrorizada.

Finalmente lhe ocorreu o que poderia estar acontecendo. "Sabe quando você começa a falar e sua adrenalina começa a fluir e o sangue começa a jorrar? Bem, eu estava usando uma jaqueta esportiva azul-clara e, quando olhei, percebi que o sangue estava escorrendo de trás do ouvido, sobre meu pescoço, caindo na camisa e por toda a frente da jaqueta. Parei, peguei uma toalha e disse: 'Se vocês não se importarem, vou ficar segurando a toalha sobre esse machucado aqui'. Terminei a palestra e fui para o hospital, onde recebi quarenta pontos."

Para algumas pessoas, futebol e golfe representam diversão e recreação. Para outras, eles representam competição com C maiúsculo.

O mesmo vale para a vida: algumas pessoas (normalmente os caçulas) saem do ventre materno rindo e se divertindo. Outras abrem caminho para fora do corpo da mãe segurando uma placa na qual se lê "estou no comando". Este seria o primogênito.

Ora, se você mesma é primogênita e está criando um primogênito, então testemunhará Mike Ditka no papel de Mike Ditka — e as coisas podem ficar sangrentas! Se você é filha caçula, poderá descobrir que seu bebê primogênito imagina um jeito de enrolar você em torno daquele dedinho de 2 centímetros! E se você for a filha do meio, vai experimentar um desafio completamente diferente.

O EVENTO PRINCIPAL: PRIMOGÊNITO SE ENCONTRA COM PRIMOGÊNITO

Quando a mãe primogênita se encontra com seu filho primogênito, pense em Mike Tyson *versus* Evander Holyfield. Rocky Balboa contra Apolo Doutrinador. Corinthians contra Palmeiras. Brasil contra Argentina.

Em outras palavras, é o "evento principal" — a competição mais acirrada!

A criança que tem a mesma ordem de nascimento que você é, com toda a certeza, o filho com quem você muito provavelmente vai bater cabeça. E, uma vez que os primogênitos gostam de estar no comando, primogênito contra primogênito tende a ser a mistura mais inflamável.

Nossa família não é diferente. Sou o caçula amante de diversão, e tive o bom senso de me casar com uma primogênita. Sande é mais do que uma primogênita — ela é uma alemã teimosa. Quando Holly, nossa primeira filha, veio ao mundo, você poderia achar que haviam colocado um corintiano e um palmeirense na mesma sala. As faíscas voavam para todo lado!

Ainda hoje percebo uma tensão ocasional. Holly e Sande estão no mesmo negócio, e ambas são excelentes em apontar o dedo uma para a outra.

Não me entenda mal: elas têm um lindo e íntimo relacionamento entre mãe e filha. Mas, sendo ambas primogênitas, sempre haverá um pouco de "ferro contra ferro" entre as duas.

Lembro-me de quando Holly era apenas um bebê. Sande entrou na sala de estar e disse:

— Querido, você poderia acordar a Holly? Precisamos sair.

— *Eu* não vou acordá-la — respondi. — Eu a acordei ontem. É *sua* vez de acordá-la.

Sande suspirou resignada e se virou.

— Você quer meu capacete de futebol americano emprestado? — perguntei a ela.

Sabe, Holly acordava bem agitada se suas sonecas fossem interrompidas por um período maior que trinta segundos. Você já ouviu a expressão "direito divino dos reis"? Bem, os primogênitos pensam que têm o direito divino sobre a agenda familiar. A família inteira deve se curvar diante de sua personalidade. Chamávamos Holly de "juíza" muito tempo antes de ela assumir a posição de vice-diretora de uma escola — o que se encaixa perfeitamente ao perfil ela. Não consigo imaginar uma pessoa melhor para ter como encarregada de uma escola do que a nossa Holly.

Tenha em mente que você não precisa ser a mais velha de sua família para ter a personalidade de um primogênito. Se, por exemplo, você for a única menina de uma família de meninos, ou se existe um intervalo de cinco anos ou mais entre você e o próximo filho mais velho, ou se o filho imediatamente anterior a você teve dificuldades físicas ou de desenvolvimento, você pode ter "pulado" a ordem e se tornado uma primogênita *de facto*.

Sabe que há outra coisa capaz de criar uma personalidade de primogênito? Um pai que critica. Você precisa se precaver contra essa inclinação natural se sua ordem de nascimento na sua família de origem a empurra nessa direção — especialmente quando você é uma mãe primogênita que traz para casa seu filho primogênito. Por causa de sua posição como primogênita, você provavelmente conseguiria ganhar a vida expondo falhas (a começar consigo mesma, é claro). Em certas situações, essa é uma habilidade notável: quando você precisa de um supervisor de qualidade numa fábrica, por exemplo, faça tudo que puder para contratar um primogênito! Mas a mesma habilidade que provavelmente ajudaria você a se destacar na colocação meticulosa de um papel de parede, a atuar como contadora ou a assumir as responsabilidades do alto escalão de uma empresa colocará você em conflito com seu filho ou com seu marido.

Deixe-me abordar a questão da seguinte maneira: se você for esposa ou filha de um apontador de falhas, as coisas vão ficar bem claras rapidamente.

Portanto, mãe primogênita, permita-me dar-lhe um pequeno conselho "lemaniano": vá com um pouco mais de calma. O desenvolvimento de seu filho pode não seguir os dez livros de orientação que você leu. No final, não importa se ele engatinhar aos 6 ou aos 9 meses; suas habilidades maternais não serão julgadas em razão de ele ter deixado ou não as fraldas aos 2 anos. Quando ele se formar no ensino médio, não fará nem 1 centímetro de diferença se conseguiu fazer isso ou aquilo mais cedo ou mais tarde. Mas será tremendamente importante — de fato, mais do que você possa imaginar — que ele tenha tido uma mãe cordial, amorosa e receptiva. Esse bebê clama por sua aceitação. Se você estiver consciente de que sua tendência natural é esperar demais dessa criança, você será capaz de se esforçar e trabalhar no encorajamento em vez de se concentrar na correção constante.

De fato, coloque um marcador nesta página e regularmente faça a si mesma as perguntas mostradas a seguir. Eu as escrevi com base na inclinação natural do primogênito:

Estou envolvendo a mim e ao meu filho em atividades demais? Estou preocupada em marcar hora de brincar, de ouvir música, de fazer a recreação, de mexer com arte etc., que isso tem resultado em pouco tempo para pensar ou descansar? Lembre-se, mãe: se você estiver cansada, não estará em sua melhor condição — e você provavelmente vai descarregar sobre seu bebê, pois é com ele que passa a maior parte do tempo.

Estou tentando ser a mãe perfeita ou me concentrando em ser uma mãe excelente? Estou pedindo muito de mim mesma? Criar filhos é um trabalho de vinte e quatro horas por dia, por dezoito anos — ninguém vence o campeonato todas as vezes que se levanta para jogar. Dê a si mesma uma folga; você terá dias bons e dias ruins. Se você se recriminar por ter tido um dia ruim ou uma explosão de frustração, ficará louca de culpa.

Sou escrava da minha lista diária de coisas a fazer? Ajo como se tivesse cometido um crime se deixar de lavar a roupa ou se permitir que um cômodo fique bagunçado? Não há problema se, ocasionalmente, você deixar algumas louças sujas na pia enquanto se atém a assuntos mais importantes.

Estou obcecada em relação àquilo que os outros pensam de mim? Invisto muito tempo e esforço na determinação do tipo de roupa que meu filho está usando, de modo que todos pensem que sou a mãe perfeita?

Critico meu marido por fazer as coisas de maneira diferente da minha? Ele tem dificuldades de me agradar porque não lava corretamente a mamadeira, não coloca a fralda da maneira certa ou veste o bebê com roupas que não combinam? Ouça, mãe, sei que você quer que seu marido seja um aliado útil. Não o transforme num inimigo fazendo que ele se sinta estúpido ou incompetente. Você precisará de toda ajuda que puder obter.

A CRIAÇÃO DO PRIMOGÊNITO

Se você não é a primeira filha, talvez não entenda a inclinação natural do primogênito rumo ao perfeccionismo; portanto, você talvez não seja tão sensível ao dano que pode causar ao "corrigir" seu filho o tempo todo. Enfatizar a maneira como as coisas deveriam ser feitas reforça a tendência de seu primogênito ser crítico de si mesmo. Cada "correção" é como agitar um pano vermelho na frente de um touro: "Você deveria fazer isso! Você deveria fazer aquilo! Por que você não consegue fazer isso certo? Quantas vezes tenho de lhe dizer que os blocos ficam na prateleira *de baixo* e os jogos na prateleira *de cima*?".

Preste atenção, mãe: se a criança está guardando os brinquedos, ela já fez seu trabalho. O fato de você ser hipersensível em relação às coisas estarem no lugar não significa que uma criança de 2 a 4 anos precisa ser!

Como conversamos anteriormente, aprenda a aceitar as poucas rugas no lençol da cama, ou as poucas palavras mal pronunciadas. O mundo não vai parar de girar no próprio eixo se você deixar passar algumas poucas palavras com erro de pronúncia e, em vez disso, aprender a se alegrar com a curva de aprendizado de seu filho. Já não jogo golfe com a frequência de antes, mas, quando costumava jogar, não aguentava ouvir alguns pais recriminarem cada pequena falha no *swing* de seu filho: "Suas mãos estão muito atrás da bola. Mantenha mais equilíbrio em sua postura. Não segure o taco com tanta força.

Mantenha a cabeça firme". Eu me cansava de ouvir aquelas constantes instruções, e elas nem mesmo eram direcionadas a mim!

Corrigir minúcias transmite a mensagem de que seu filho falhou e não está dando conta. Continue assim e lhe garanto que ele fará uma visita ao meu consultório daqui a duas décadas. Muitos primogênitos já veem seu valor em termos daquilo que fazem, em oposição àquilo que são, e pagam um bom dinheiro a conselheiros como eu para quebrar esse molde danoso! Você não gostaria que eles economizassem esse dinheiro e o passassem aos seus netos, em vez de se sentar no consultório de um analista para falar sobre *você*?

Uma vez que os primogênitos naturalmente desenvolvem suas próprias regras (Deus tenha misericórdia da sua alma se você tentar quebrar a rotina normal da hora de dormir, por exemplo, ou colocar o urso de pelúcia no lugar onde normalmente fica a girafa), seja cuidadosa quanto a adicionar ainda mais regras. Uma vez que você quer ajudar esta criança a se tornar mais relacional a despeito de si mesma, tente fazê-la pensar socialmente em vez de raciocinar por meio de regras. Seu lema deve ser: "As pessoas são mais importantes que os métodos". O fato de seu filho se sentir amado e aceito é de longe muito mais importante do que fazer que jogos e brinquedos de montar sejam colocados na prateleira "certa".

Com seu primogênito será preciso ser bastante detalhista sobre as regras específicas que você realmente segue. Lembra-se de que, em capítulo anterior, falei como Holly não aceitou quando eu disse "vamos sair *por volta* das 9 horas"? Os primogênitos precisam da hora exata e da ordem exata: primeiro você escova os dentes, depois lava o rosto, depois se troca, depois coloca as meias e os sapatos, depois você pode sair para brincar. Isso não tem o propósito de contradizer o que eu disse sobre não acumular mais regras; significa que você aceita o fato de que primogênitos gostam de procedimentos específicos, de modo que você deve separar um tempo para apresentar as coisas de A a Z. Se eles quebrarem a rotina, não há nada de mais; a rotina está lá para ajudá-los a processar o que precisa ser feito, e não para mantê-los prisioneiros.

Por causa de algumas peculiaridades que envolveram seu nascimento, nossa pequena Lauren de fato tem personalidade de primogênito. Lauren não admite isso: ela gosta de me lembrar de que é a caçula, mas então eu lhe conto como ela, aos 2 anos e meio, alinhou suas fitas cassete em perfeita ordem. Se você tirasse apenas uma daquelas fitas do devido lugar, certamente a ouviria falar sobre isso! Quando colocávamos no lago nosso *jet ski*, com velocímetro digital, Lauren gritava feito louca se passássemos de 4. Ela não queria que andássemos a 3, a 5, nem mesmo a 4,5 — tínhamos de manter aquele negócio em 4.

Quando o filho número dois (ou três, ou quatro) aparece, lembre-se de que o primogênito deve receber privilégios especiais juntamente com responsabilidades adicionais. O primogênito sempre desejará se sentir especial, e não há problema nisso, contanto que ele entenda que "especial" (isto é, ficar acordado até mais tarde, ler livros impróprios para leitores mais jovens) também significa realizar trabalho extra que os mais novos não são capazes de fazer.

Do mesmo modo, dê a seu filho um pouco de tempo "dois para um": dois pais, um filho. Os primogênitos tendem a gravitar entre os adultos. Deixe-me ser honesto com você: eles praticamente se veem como adultos e gostam de conversas que podem partilhar com ambos os pais. Respeite essa necessidade. Isso é bom para equilibrar o fato de que, durante o dia, mamãe provavelmente terá de gastar mais tempo com os filhos mais novos do que com o primogênito, uma vez que este pode se cuidar sozinho muito melhor do que os outros.

Finalmente, *relaxe*. As crianças percebem nossa própria tensão, e isso é duplamente verdadeiro em relação aos primogênitos. Quero que você *desfrute* desse tempo. Você nunca mais vai criar um primogênito de novo! Esta é sua única chance! Enquanto escrevo isto, Krissy, minha segunda filha, está grávida de nosso primeiro neto. Certa vez, Krissy e seu marido estavam conosco num restaurante e, quando viram a garçonete empurrar um cadeirão que não parecia tão novo, minha filha disse ao marido:

— Quando Conner [eles já escolheram o nome] chegar, traremos o *nosso* próprio cadeirão para o restaurante.

Do jeito mais gentil que consegui, disse a ela:

— Krissy, um pouco de sujeira não vai matar seu filho.

Se soubesse o que seu filho está comendo quando você não vê (cola, lápis, ração de cachorro e coisas piores), você ficaria arrepiada! Sentá-lo num cadeirão que não é jogado fora e substituído por um novo todas as vezes que é usado não é algo grave.

Para todas as mães de primogênitos, quero dizer uma coisa: tenha em mente o quadro geral. Não exagere as coisas pequenas. Toda criança vai jogar coisas longe de vez em quando; isso não significa que ela está a caminho de se tornar um assassino em série. E não entre em batalhas que você não pode vencer: "Escute aqui, mocinha, ou você come estas ervilhas, ou vai ficar aí sentada até o fim da sua vida!". Seu filho pode simplesmente aceitar sua oferta.

Não estou dizendo que você deve deixar passar tudo. Há que agir com tolerância zero com uma criança de 3 anos de idade que a afronta ou bate em você, por exemplo. Mas, por favor, deixe as pequenas coisas para lá.

AMANDO A VIDA COMO UM CAÇULA

Sally, minha irmã mais velha, primogênita até a medula, convidou-me para ser o palestrante principal de uma conferência. Eram 9 horas, e estávamos tomando o café da manhã; minha palestra começava às 10.

Em meio a ovos e batatas, Sally me perguntou:

— Então, sobre o que você vai falar nesta manhã?

Dei de ombros e disse:

— Não sei. Ainda não decidi.

— O que você quer dizer com "ainda não decidi"?! Você estará naquele palco diante de milhares de pessoas em menos de uma hora!

— Eu sei. Mas quero olhar primeiro para elas antes de decidir sobre o que tratar.

Sally perdeu o apetite.

— Só de ouvi-lo falar assim, já estou ficando com dor de estômago e me sinto mais nervosa do que você pode imaginar.

Sally, a primogênita, teria escrito sua preleção semanas antes da conferência e provavelmente a teria ensaiado diante do espelho pelo menos umas doze vezes. Mas minhas melhores palestras sempre surgem quando não estou usando nenhuma anotação, quando estou simplesmente tentando ler a multidão, conectar-me com o público e moldar minhas palavras de acordo com ele.

Bem-vinda ao mundo da mãe caçula. Se você tem a personalidade do caçula, então provavelmente gosta da espontaneidade tanto quanto o primogênito a odeia. Você gosta de ser a vida da festa, o centro das atenções, e não suporta regras (embora você *adore* quebrá-las). Somos os que fazem pegadinhas, lutando contra o legado estabelecido por nossos irmãos mais velhos, todos eles seguidores de regras e grandes realizadores. Pelo lado positivo, somos altamente sociáveis. Podemos conviver com a ambivalência. Não temos medo de assumir riscos e podemos ser tão persistentes quanto um cão que caça seu osso no quintal. Costumamos ser engraçados para as pessoas que estão à nossa volta.

Mas, quando temos de criar um primogênito, as coisas podem se tornar um pouco arriscadas. Logo de cara, nossa tendência é não estabelecer muitas regras para nossos filhos. Nunca gostamos de seguir regras e também não gostamos de estabelecê-las. Isso é bom. Mas às vezes nós, caçulas, podemos ser desorganizados *demais*.

Lembro-me da vez em que Sande me deixou sozinho com um de nossos filhos. Ela certamente estava nervosa por passar a noite fora, mas eu lhe garanti que estava mais do que preparado para a tarefa. Ela não tinha absolutamente nada com que se preocupar.

Mais tarde, naquela mesma noite, Sande ligou para ver como estavam as coisas. Ansioso para impressionar minha esposa com minhas habilidades no cuidado com as crianças, falei sobre como eu e Lauren havíamos nos divertido, as coisas que fizemos, as artes que aprontamos, os lugares que visitamos — tudo aquilo que tenho certeza de que as crianças nunca fizeram com Sande.

— O que ela comeu? — perguntou Sande.

— Comer? — questionei de volta.

Puxa, eu sabia que tinha esquecido alguma coisa! Não alimentei aquele pequeno animal! Estávamos nos divertindo tanto que me esqueci de que ela precisava comer!

Se você é primogênito, não consegue imaginar como pude deixar aquilo acontecer. Se você é caçula, provavelmente tem as suas próprias histórias para contar. Nós, caçulas, odiamos deixar que as pequenas regras — como comer três vezes ao dia — se intrometam em nossos bons momentos.

Escutem todas vocês, mães caçulas: os bebês precisam de organização, especialmente os primogênitos. Não podemos nos esconder atrás da ordem de nosso nascimento em relação a este quesito. Precisaremos crescer um pouco para ser bons pais. Talvez não seja necessário colocar o despertador para tocar em determinada hora para saber que é o momento de trocar a fralda (um primogênito provavelmente o fará), e também não precisamos nos preocupar em tomar café às 8 horas, almoçar ao meio-dia e jantar às 17 horas todos os dias, sem falhar, com uma variação de no máximo três minutos para mais ou para menos. Mas realmente precisamos alimentar o bebê e devemos garantir que não fique andando pela casa com uma fralda cheia que pese mais do que ele.

Você está assumindo uma enorme responsabilidade. Não pode mais ser o centro das atenções: você deve se concentrar no seu filho. E essa é uma coisa muito difícil para nós, caçulas!

Você também precisa aprender a ter um pouco de ordem. Nossa tendência é ser bagunceiros, e, se você não tomar cuidado, todo o seu chão ficará coberto de roupas e fraldas sujas. É impressionante perceber quão rapidamente uma criança consegue encher o cesto de roupa suja. Se formos *muito* desorganizados, podemos criar uma situação nada saudável para o bebê. Especialmente quando seu filho começar a engatinhar pela casa, você precisa se concentrar e deixar de ser desatenta. Nunca deixe ao alcance das mãos do bebê algo que você não quer que ele ponha na boca.

Será necessário, ainda, acostumar-se a viver de acordo com uma agenda — e isso será bastante difícil para você. Os bebês primogênitos vicejam em ambientes ordenados. Eles se dão bem quando comem, dormem e tomam banho de acordo com uma rotina regular. Quando tudo isso é feito de maneira inconsistente, os bebês entendem a situação como um caos, algo de que eles não gostam nada. Os bebês tendem a chorar quando se veem diante da bagunça. E bebês que choram deixam as mães ainda mais irritadas, as quais interrompem ainda mais a agenda, o que cria ainda mais caos, fazendo que o bebê chore mais e... bem, você entendeu.

O MISTERIOSO FILHO DO MEIO

Vocês, mães que são filhas do meio, não se sintam abandonadas — muito embora eu saiba que se sentirão assim. Você ficou espremida no álbum de fotografias, entre o Super Samuel, o primogênito, e a Bela Carolina, a caçula, e isso resultou no fato de você aparecer em menos fotos no álbum da família. Quer saber de uma coisa? Você também terá a menor seção deste livro, e há uma razão para isso: você provavelmente já tem a disposição correta para criar um primogênito. Você é menos intensa que a maioria das primogênitas, mas um pouquinho mais responsável que as caçulas. Em resumo, você não precisa mesmo de muito conselho.

Os filhos do meio tendem a ser os mais misteriosos da ordem de nascimento porque se diferenciam da criança nascida antes deles: se o primogênito é atleta, o segundo filho provavelmente se tornará um cientista, ou vice-versa. É muito mais difícil caracterizar um filho do meio, porque filhos do meio diferentes seguem em direções diferentes. Alguns filhos do meio, por exemplo, são quietos e tímidos; outros são bastante sociáveis e gostam de sair. Uns são mais lentos; outros são impacientes e se frustram com facilidade. Alguns filhos do meio são bastante competitivos, ansiosos para derrubar seus irmãos mais velhos; outros são bem fáceis de lidar. Enquanto alguns desempenham o papel de rebeldes, normalmente a maioria é de bons conciliadores.

Uma vez que os filhos do meio normalmente precisam ir além da família para obter recompensas e reconhecimento (porque não conseguem competir com seus irmãos mais velhos), eles costumam sair de casa com menos idade. Mas isso se deve parcialmente ao fato de que os filhos do meio normalmente fazem mais amigos do que os primogênitos e, assim, sentem-se mais confortáveis no mundo exterior.

Os filhos do meio tendem a ser os mais enigmáticos — e fechados — na ordem de nascimento, e costumam ser mentalmente fortes e bastante independentes. Embora se constranjam facilmente, eles também tendem a ser os mais fiéis.

Portanto, coloque uma pessoa assim numa situação de maternidade e o que você obtém? As mães que são filhas do meio têm um dom especial e podem colocá-lo em plena atividade: a mediação. Se seu marido é primogênito, prepare-se para ser a "juíza" das disputas entre pai e filho (assim como entre o filho número 1 e o filho número 2). Você também já foi advertida de que a criança mais próxima de sua própria sequência de nascimento é normalmente aquela com quem você tem mais dificuldade de se dar bem. Portanto, esteja ciente da tendência de seu próprio marido entrar em choque com alguém da mesma sequência de nascimento, e espere ser chamada para ajudar a restabelecer um pouco de paz e quietude.

Você precisa se resguardar da filosofia de "paz a qualquer preço". Os filhos do meio gostam de ceder, mas há momentos em que a criação de filhos tem a ver com um julgamento absoluto. Talvez você tenha de se esforçar a fim de criar coragem suficiente para desapontar seu filho.

Outra fraqueza potencial é que, na sequência de nascimento, você é provavelmente a pessoa que mais reluta em buscar ajuda externa. Em virtude de sua ordem de nascimento, você aprendeu a caminhar sozinha e a conseguir as coisas por si só. Assim, quando estiver cansada, é menos provável que ligue para a vovó, ou até mesmo para seu marido, e admita que precisa apenas de um descanso. Faça um favor a si mesma nesta questão: de vez em quando, aja como uma caçula, que nem mesmo hesitaria transferir uma tarefa para outra pessoa!

UMA SEGUNDA CHANCE

Seja qual for sua ordem de nascimento, criar este filho fará mais coisas por você do que você pode imaginar. Uma das coisas engraçadas que podem acontecer é que você pode começar a entender a si mesma um pouco melhor. Agora que você já foi devidamente advertida sobre os pontos fortes e fracos de sua própria ordem de nascimento, eu gostaria de incentivá-la a usar esse conhecimento para ajudá-la a se relacionar melhor com os outros.

Não temos muitas segundas chances nesta vida — mas esta é uma delas. Você está começando uma nova família. Está criando tradições completamente novas. Está lançando o fundamento para as lembranças que seus filhos carregarão para a sepultura — e que provavelmente afetarão a maneira como eles próprios criarão os filhos que tiverem.

É por seu intermédio que seu bebê aprenderá o que é a vida. A visão de mundo que ele vai ter será grandemente determinada pelo mundo que você apresentar. Você quer apresentar um mundo amoroso, confortante, caloroso e íntimo? Ou uma realidade cheia de crítica, ameaça, insegurança e abuso?

Sei que você quer dar ao seu filho o melhor início possível. Para fazer isso, você terá de usar a informação que compartilhamos aqui para desafiar a si mesma enquanto cria seu filho. Esta é uma rara oportunidade de desenvolver sua própria maturidade.

Tire plena vantagem desta segunda chance!

CAPÍTULO 9

Quando seu filho começa a andar

Agora que seu bebê já tem 1 ano, vamos falar sobre a faculdade.

Posso ouvir algumas de vocês dizerem: "Espere um pouco, dr. Leman. O senhor não acha que está apressando um pouco as coisas?".

De jeito nenhum!

Não me importo sobre qual será a faculdade que seu filho ou filha vai cursar, nem mesmo se vai cursar alguma. Mas quero que você pense na época da faculdade como o período em que os frutos de seu trabalho de criação se mostrarão doces ou amargos.

Pense na questão da seguinte maneira: quando você pegar esse pimpolho, que agora dorme pacificamente em seu berço, e colocar essa criança — então com 17 ou 18 anos — na porta da faculdade, como você quer que ela seja? Você quer um filho generoso ou um filho tomador? Quer uma filha que se preocupa com os outros ou que só olha para si mesma? Quer um filho fraco que só faz o que o grupo quer ou um rapaz forte a quem os outros seguem?

Espero que você queira que seu filho seja responsável, que se importe com os outros, que compartilhe os valores morais aprendidos com você e que tenha uma forte fé em Deus. Se ele for tudo isso, você não ficará tão preocupada caso ele se torne policial, meteorologista ou deputado. Você terá orgulho do caráter dele e ficará ansiosa para que todos saibam que aquele rapaz tão fino é seu filho.

A CHAVE PARA SONHOS FRUSTRADOS — OU REALIZADOS

Toda mãe provavelmente tem visões promissoras para seu filho — afinal de contas, que mãe não desejaria ver essas qualidades em sua cria? Infelizmente, porém, muitos desses sonhos são frustrados mesmo antes de a criança alcançar a adolescência. Por que isso acontece?

A resposta está nos primeiros anos de vida de seu filho. É mais comum que a culpada seja a falta de disciplina. Se você ama seu filho, o disciplina — não em excesso, nem de menos, mas o disciplina da maneira certa (conforme conversamos anteriormente neste livro). E é por isso que dedico este capítulo inteiro a este assunto tão importante.

Por favor, permita-me reiterar aqui que não igualo disciplina ao ato de bater na criança. Particularmente quanto às crianças pequenas, bater é impróprio. Mais tarde, depois dos 2 anos de idade, a disciplina pode envolver um tapa no bumbum, mas, por ora, a melhor maneira de disciplinar seu filho é viver uma vida disciplinada.

Portanto, coloque seu filho numa agenda de horário de alimentação e de sono (veja o capítulo 3) que você consiga manter com atenção. Escolha um horário de dormir que seja factível e apegue-se a ele. As crianças se sentem mais confortáveis com uma rotina estabelecida. Seja uma mãe consistente: que o seu "não" seja "não" em vez de significar "não, a menos que você continue choramingando, o que me fará ceder apenas para que você fique calado". Disciplina não é algo que se transmita a um filho, nem mesmo algo que se aplique a ele. É muito mais a vida que você vive como adulta diante de seu filho.

COLOQUE O LONGO PRAZO EM PRIMEIRO LUGAR

Algumas de vocês já decidiram que não vão disciplinar seu filho, em parte ignorando meu conselho anterior quanto a sair de casa, sozinhos como casal, em um dia das duas primeiras semanas. (Viu só? Peguei você!) Você leu aquela sugestão e pensou: "Oh, dr. Leman, o senhor não entende. Jamais deixaria meu bebê por duas horas. Eu o amo demais para fazer isso. O senhor deve ter escrito aquilo para outras mães, não para mim".

Desculpe-me, mas, se você realmente amasse seu bebê dessa forma, colocaria o bem-estar de longo prazo dele à frente de suas próprias inseguranças e continuaria a manter vivo o romance em seu casamento! Sair e deixar o bebê sozinho é o ponto de partida para a disciplina, porque, logo de início, por meio de suas ações, você está dizendo a ele: "Você é muito importante para nós, mas não vamos atender a cada um dos seus caprichos. Você depende de nós, e vamos nos esforçar para satisfazer as suas necessidades, mas o mundo não gira unicamente em torno de você".

O objetivo de vocês como pais não é criar um estado pseudoutópico no qual a criança seja constantemente feliz. (Lembra-se do que eu disse anteriormente sobre o fato de uma criança "infeliz" ser uma criança "saudável"? As crianças precisam descobrir desde o início que nem tudo na vida será perfeito nem sairá do jeito que elas querem.) O lar é um lugar onde os filhos aprendem a errar num ambiente acolhedor e amigável, onde entendem que às vezes precisam se sacrificar em favor do bem comum e onde experimentam a alegria de contribuir para o esforço do grupo como um todo.

Se você já sabe que não começou da melhor maneira, não entre em pânico. Simplesmente releia os primeiros capítulos deste livro e coloque aquelas sugestões em prática. Não se trata de rotinas arbitrárias planejadas simplesmente para manter seu bebê sadio e vivo. Pelo contrário, eu as sugiro porque elas têm o poder de moldar a própria alma de seu filho.

CUIDADO COM A MUDANÇA DE RITUAIS OU DE ROTINAS

Quando as crianças vivem no caos — imaginando a que horas o jantar será servido, dormindo em horários diferentes a cada dia, sem entender por que o sono noturno é diferente de qualquer soneca durante o dia, uma vez que nenhum ritual foi estabelecido — elas ficam frustradas e irritadas porque tudo sempre parece novo e confuso. Rituais e disciplinas geram segurança, compreensão e, em última análise, crianças mais felizes. Isso estabelecerá nelas um padrão para o resto da vida — um padrão que, incrivelmente, poderá ser transmitido para a próxima geração.

Isso realmente funciona? O lar dos Leman é uma prova viva. Não, não somos perfeitos, mas fizemos muitas coisas certas com nossos cinco filhos. Por exemplo, nunca tivemos uma discussão sobre o envolvimento de nossos filhos em diferentes atividades cinco noites por semana porque eles aprenderam desde cedo que a hora do jantar é a hora da família. Não abrimos exceções facilmente. Permitiremos que visitas se assentem à nossa mesa de jantar, mas é bem difícil permitirmos que nossos filhos sejam visitantes em outras mesas se acharmos que a família está recebendo pouca atenção.

Tais rotinas e rituais fornecem segurança e um senso de que fazem parte de algo. As crianças se desenvolvem bem em um ambiente assim. Você ficará surpresa em ver quão rapidamente eles se encaixam em várias rotinas e quão importantes essas rotinas são, mesmo quando eles não as entendem. Quando mamãe nina o bebê numa cadeira especial, lê uma história para ele e depois faz uma oração, ele sabe que ficará na cama a noite inteira, ou seja, não se trata de uma simples soneca. E o relógio biológico desse bebê aprendeu a se ajustar, esperando o café da manhã, o almoço e o jantar em horários específicos. Se esses horários forem respeitados, o bebê não reclamará, porque é assim que as coisas devem ser.

Se você não acredita em mim, faça a seguinte experiência: estabeleça uma rotina com seu filho por pelo menos quatorze dias e, depois, tente quebrar essa rotina. Você verá rapidamente quão importante é a regularidade para a maioria das crianças — de qualquer idade!

Eu e Sande aprendemos esta lição da maneira mais difícil. Pouco antes da primeira impressão do meu livro *Faça a cabeça de seus filhos — sem perder a sua*, recebi uma ligação do meu editor, dizendo que precisava de uma foto de nossa família — para o dia seguinte. Era tarde de domingo, e o único lugar ainda aberto era a Sears. Holly estava dormindo, de modo que fizemos o que já lhe disse para você não fazer: quebramos a rotina dela e a acordamos.

Veja bem, fizemos isso com medo e hesitação. O pior trabalho do mundo, depois de limpar a latrina no fundo do terreno ou passar piche no telhado de uma casa no Texas em agosto, era acordar Holly de uma soneca. Desde a época em que Holly era bebê, eu e Sande tivemos muitas discussões para definir de quem era a vez de dar um tapinha no ombro da pequena tirana e fazê-la sair da cama.

Acordar uma criança prematuramente me faz lembrar de quando passava por aqueles sinais de advertência colocados ao longo do rio Niágara, perto de onde eu costumava ficar durante os verões. Se você ignorasse algum daqueles sinais de advertência, estaria sujeito a ser sugado pela correnteza e jogado nas quedas d'água, sem conseguir parar ou dar meia-volta. Era o temível "ponto sem volta".

Esse "ponto sem volta" é uma boa lição a ser aprendida pelos pais jovens, porque às vezes vocês veem a mesma coisa acontecer com as crianças: vocês reconhecem que cruzaram o ponto onde eles estão se soltando e que as coisas vão apenas piorar, a não ser que vocês simplesmente recuem. Assim que os pequenos descem a ladeira escorregadia, não há como subir de volta.

Mas, diante das obrigações com a editora, não podíamos simplesmente ir embora. Precisávamos tirar uma foto da família naquela tarde de domingo.

Finalmente acordamos Holly, mas foi quase impossível vesti-la. Nada parecia se encaixar.

"Esta etiqueta incomoda... as mangas estão muito longas... este vestido é muito comprido... este vestido é muito curto... estas meias são esquisitas... parece que estes sapatos estão prestes a sair do pé."

Cansei-me de tudo aquilo e deixei que ela ficasse com o que já estava vestindo. Quando a tiramos do quarto, ela berrava e esperneava.

Então cometemos o erro número dois. Como ela havia caído no sono, não tinha almoçado. E, em razão do tempo excessivo que levamos para trocar sua roupa, estávamos quase no "modo pânico" e não queríamos parar para pegar alguma coisa para ela comer. Estávamos seriamente atrasados, e era possível sentir a pressão subindo. Não pense nem por um segundo que seus filhos não percebem quando você está irritado. Eles esperam ansiosamente por momentos assim: "Ah, mamãe e papai estão tentando me apressar, não é? Bem, vou lhes mostrar uma coisa. Estou me sentindo um pouco lenta hoje".

Demos uma banana a Holly, que ela prontamente começou a amassar no rosto de Sande. Átila, o Huno, se encontra com a Juíza, nossa primogênita!

Sande foi arrumar a maquiagem enquanto eu levava nossa primogênita aos berros para o carro, tudo isso para que pudéssemos fazer um lindo retrato de família para meu último livro sobre criação de filhos. Coloquei o cinto de segurança na cadeirinha de Holly, pensando no que os editores diriam quando vissem uma das pessoas da foto com olhos inchados e vermelhos e a mãe com banana amassada no rosto.

Assim que chegamos à Sears, tentamos jogar água no rosto de Holly para cuidar dos olhos inchados e vermelhos, mas isso simplesmente a irritou ainda mais. Levou mais tempo do que imaginávamos para que o fotógrafo conseguisse uma imagem remotamente aceitável. Não foi de modo algum uma fotografia digna de ganhar um prêmio, mas foi o melhor que conseguimos naquele dia.

Hoje eu já sei como agir. Se um editor me pedisse coisa semelhante, eu seria muito mais rigoroso: "Não posso fazer isso. Vamos tirar a foto amanhã, e a enviarei a você com urgência por meio de um portador, de modo que você a receba na terça-feira. Hoje é impossível".

O MACHO ALFA

Outro efeito disciplinar muito importante das rotinas é que elas ajudam a diminuir um pouco daquelas problemáticas brigas pelo poder. E, com primogênitos em particular, as lutas pelo poder se transformam rapidamente num estilo de vida. Ainda em tenra idade, as crianças começam a criar agendas e a achar que sabem como a vida deve ser. As rotinas que você estabelece ajudam a reforçar a verdade de que você não é serva, e sim mãe da criança. E existe uma enorme diferença entre as duas coisas.

Mas, uma vez que as lutas pelo poder costumam ser parte da experiência de criação de um primogênito, vamos nos estender um pouco sobre elas.

Quando tinha apenas 9 anos, Lauren, nossa filha mais nova, ganhou uma filhote de cachorro da raça *cocker spaniel* chamada Rosie. Eu disse a Lauren que ela seria a mãe da cadela. Queria que ela pensasse assim, ciente de que criar um cachorro poderia ensinar muitas lições valiosas à medida que Lauren se aproximava da adolescência.

Como qualquer pessoa que já treinou um filhote, os cães são, em última análise, descendentes dos lobos. Eles possuem a mentalidade de bando, e a lei do bando é esta: "amigos" podem ser ignorados, podemos discordar deles, ou até mesmo brigar com eles, mas deve-se sempre obedecer ao macho alfa.

Se você vir um filhote pequeno perturbar a mãe e, então, ouvir esta rosnar, logo verá aquele filhote abaixar a cabeça até o chão em sinal de submissão. Basicamente, aquele filhote está dizendo: "Você ganhou". Se outro filhote rosnar, o primeiro filhote vai rosnar ou morder em resposta — mas jamais questionará o macho alfa.

Lauren teve de aprender que, se simplesmente quisesse ser amiga de Rosie, a vida não seria tão divertida. Até que Rosie visse Lauren como o macho alfa, ela se sentiria livre para obedecer ou desobedecer a qualquer comando, dependendo de como se sentisse em relação àquela ordem. Quando Lauren leva Rosie para passear, Rosie pode tanto acabar com Lauren quanto obedecer com alegria. Se Rosie reconhecer Lauren como o macho alfa, ela caminhará ao lado dela. Se vir Lauren como uma colega de brincadeiras, puxará a corrente, atravessará a rua quando quiser ou interromperá o passeio sempre que sentir vontade de fazê-lo.

Conforme eu e Lauren passávamos por tudo isso, percebi a semelhança entre treinar um filhote e criar um filho. É muito comum conversar com mães que querem ser as "melhores amigas" de seus filhos. Filhos precisam de amigos, mas precisam ainda mais de pais. Se você se tornar a amiga do seu filho, vocês dois não conseguirão evitar as discussões. E como vocês vão resolver as discordâncias? Entre dois amigos não pode haver um superior. A abordagem "de amigo para amigo" da criação de filhos leva à confusão e ao caos. Além disso, quantas crianças de 6 anos precisam realmente de uma pessoa de 27 como sua "melhor amiga"? Você não acha que elas gostariam de ter um(a) melhor amigo(a) que se sentasse com elas para assistir aos Backyardigans?

Como praticamente todo filhote, Rosie tinha seus momentos de "morder". As boas raças não chegam a atacar de fato uma pessoa, mas costumam abocanhar-lhe os dedos ou o braço e, alegremente, fazer que você saiba que possuem dentes. Isso é algo que um bom dono de cachorro não permitirá; um cachorro não deve nunca pensar que tem o direito de colocar carne humana na boca.

Os treinadores sabem como lidar com isso. Um truque é colocar imediatamente os dedos na boca do filhote e pressionar para baixo, na parte de trás da língua, até que ele choramingue, enquanto você diz "Não morda!". Embora essa possa ser uma forma bastante eficiente de treinamento, crianças pequenas normalmente fogem disso por duas razões. Primeiro, porque se assustam. Você está tentando ensinar seu cachorro a não morder e, para tanto, está deliberadamente colocando a mão na boca do cachorro. Isso exige muita confiança — aqueles dentes podem de fato arranhar seus dedos.

Segundo, colocar essa pressão na língua geralmente faz o cachorro chorar. A criança acha que isso está ferindo o cachorro, sem perceber que o choramingo é exatamente o que você quer: um reconhecimento de submissão.

Observei um menino fazer isso com perfeição. Depois de dias de treinamento, ele viu seu cachorro começando a mordiscar outra criança. Ele gritou para o cão: "Fora!" (um sinal universal para "Pare!"), e o filhote deitou-se de costas, olhando para o dono, como se dissesse: "Eu desisto. O que você quer que eu faça agora?".

Às vezes encontro mães que ficam imóveis diante do choramingo da criança. Um dia desses, enquanto caminhava pelo *shopping*, vi uma mãe tentando arrancar seu filho de um cavalinho de brinquedo. Em vez de exercer sua autoridade, aquela mãe recorreu à chantagem: "Querido", disse ela, "agora precisamos ir à loja de brinquedos escolher um para você!".

O que me impressionou foi o medo bastante evidente que ela teve diante do desprazer potencial de seu filho. Além de saber que ele não queria sair do brinquedo, ela estava com medo demais dele para simplesmente dizer "Filho, precisamos ir agora". Assim, recorreu à promessa de algo que ela esperava que fosse ainda mais agradável — ver brinquedos — para fazê-lo se mexer. Ora, como ela vai tirar o menino da loja de brinquedos? Aposto que ela teria que comprar-lhe algum brinquedo!

Você tem medo das lamúrias de seu filho? Deixa que seu filho a controle porque ele sabe que uma explosão de raiva é a única coisa que precisa fazer para conseguir aquilo que realmente quer? Não seja como uma treinadora ruim de animais; reconheça que, de vez em quando, o bom treinamento produz um bom lamento antissubmissão.

Sei que você não trouxe um filhote para casa — mas você de fato trouxe uma criança cheia de vontades. Como sei disso? Ora, praticamente toda criança é cheia de vontades! É certo que algumas são mais teimosas que outras, mas, de modo geral, se você deixar, as crianças vão dirigir sua vida. E elas nunca vão parar.

Um vez, o filho de um amigo meu estava participando de um torneio de golfe, e meu amigo prestava atenção em um dos oponentes do filho; o adversário jogava com um taco de 450 dólares. Todas as vezes que o menino privilegiado dava uma tacada ruim, batia aquele taco caro no chão.

"Se fizer isso mais uma vez, você vai sair!", advertiu a mãe no primeiro buraco.

Na vez seguinte em que o menino teve um acesso de raiva, a mãe repetiu a advertência: "Se fizer isso mais uma vez, vai parar de jogar. Estou avisando!".

O menino ouviu nada menos que cinco "Se fizer mais uma vez". Na última "mais uma vez", o pai de fato disse: "Chega! Agora acabou!", mas o menino continuou jogando, e os pais não fizeram nada.

O pai explicou ao meu amigo que o taco caro com o qual ele estava jogando era emprestado. Ele fez um acordo que determinava que o menino precisaria se destacar algumas vezes para "merecer" o taco.

O menino raivoso de fato saiu-se muito bem no torneio, ainda que os outros jogadores e pais estivessem chocados com a maneira como ele agia. Seus pais recompensaram seu comportamento comprando-lhe o taco que ele "merecia". Portanto, diga-me você: quem era *realmente* o macho alfa naquela família? Você gostaria que aquele garoto se casasse com sua filha daqui a alguns anos?

Sabe, isso não vai parar aos 18 meses, nem aos 5 anos, nem aos 10, nem mesmo aos 18 anos. Se você permitir que essa criança passe por cima de você, se tolerar o comportamento abusivo quando seu filho ainda é pequeno, ele vai controlá-la pelo resto da vida. Ele rirá diante de suas ameaças porque sabe que você não as cumprirá. Vai zombar das recompensas prometidas porque ele sabe que será capaz de conseguir o que quer sem ter de trabalhar por aquilo. Ele sabe disso porque tem consciência de que está no controle.

Seu bebê precisa aprender, antes cedo do que tarde, que você faz o papel do macho alfa. As crianças precisam aprender a obedecer-lhe não porque concordam com você ou porque você é capaz de apresentar cinco razões pelas quais está certa. Elas precisam ouvir porque você está no comando.

A lição mais importante que dou às jovens mães é esta: "Lembre-se: você é a mamãe. Você não pode deixar seu filho determinar sua vida, e ele o fará se você deixar. Seu trabalho não é satisfazer todas as necessidades dele. Quero que você imediatamente estabeleça uma autoridade saudável e, quanto mais cedo, melhor".

Vi uma camiseta que uma mulher usava que dizia algo de que eu realmente gosto: "Porque eu sou a mamãe, só por isso".

Quanto mais cedo você estabelecer uma autoridade saudável, mais cedo desfrutará da vida com seu filho antes e depois de ele começar a andar. As verdadeiras democracias — onde tudo é decidido pelo voto popular — podem se tornar bastante caóticas, especialmente numa família. Você não está dirigindo uma democracia em sua casa. Você é o ditador benevolente, e quanto antes isso for compreendido e aceito, mais feliz você e seu filho serão. Sim, algumas crianças lutarão pelo controle, mas é mais fácil negar isso a uma criança de menos de 3 anos de idade do que tentar "recomeçar" com um adolescente que é maior e mais forte que você!

Essa necessidade de ensinar as crianças a respeitar a autoridade é a razão pela qual insisto com as mães de primeira viagem que não se preocupem excessivamente com sujeira e bagunças que não são importantes. Você precisará aprender onde entrar na briga e em que se concentrar, e uma atitude saudável em relação à autoridade precisa estar perto do topo da lista. Obedecer a você e respeitar seu papel como mãe nunca deve se tornar uma das dez questões *adicionais* pelas quais você e seu filho venham a lutar. Isso deve ser entendido, aceito e praticado diariamente. É a primeira batalha — e se você vencê-la, vai eliminar muitas batalhas posteriores.

GUARDE SUA ENERGIA PARA OS VERDADEIROS DESAFIOS

Haverá muitas coisas com as quais seu filho vai se preocupar, mas pelas quais não vale a pena lutar, em particular por ele ser o primeiro filho. Você vai se surpreender com a quantidade de roupas que perturbam os primogênitos; eles devem usar certas cores, tipos de colarinho ou tecidos. Se a manga é muito longa, ou muito curta, a camisa está "arruinada". Quando comem, desenvolverão todo tipo de regras melindrosas, como não deixar que o molho toque a panqueca, ou vão gritar diante da "crise" que surge quando o molho do macarrão acidentalmente encosta no pão. Quando levamos nossa primogênita Holly à praia pela primeira vez, descobrimos, para nosso desespero, que ela odiava sentir o toque da areia nos pés e nas mãos. Eu a limpava, mas ela continuava apontando para as mãos e grunhindo até que eu descobrisse os dois pequenos grãos de areia que a perturbavam!

Guarde sua energia para os desafios verdadeiros. Se o seu filho não quiser panquecas com muito molho, deixe que ele mesmo coloque o molho por cima ou então disponha o molho num prato diferente. Se a criança achar que uma camisa a está incomodando, deixe-a escolher sua própria roupa. Você não quer que a discussão se torne um estilo de vida do primogênito — ele vai deixar você louca!

DE PROVEDORA A LÍDER

Nos primeiros três meses de vida do seu bebê, você passa a maior parte do tempo atendendo às necessidades básicas dele: segurar no colo, colocar para arrotar, embalar, alimentar, brincar e depois colocar para tirar uma soneca.

Mas, em mera questão de meses, seu foco deve mudar do atendimento das necessidades para a liderança na direção de uma independência saudável. Tenho certeza de que você notou que, com o passar dos meses, essa criança tem se tornado cada vez mais uma pessoa independente. Não levou muito tempo para que o recém-nascido começasse a distinguir a diferença entre os braços da mamãe, os da vovó e os de um estranho; e, quando ele queria ser alimentado, queria os braços da mãe!

Você riu, pegou o bebê nos seus braços e, talvez até mesmo secretamente, ficou bastante feliz por perceber que é a preferida dele. Mas, se você continuar simplesmente atendendo às necessidades de seu filho, estará se sujeitando a enfrentar grandes problemas mais adiante.

Você tem agora a oportunidade, o privilégio e a obrigação de ajudar seu filho a amadurecer em sua própria individualidade. A dificuldade é que, no meio desse processo, pode ser muito confuso tentar distinguir entre desafios à sua autoridade e peculiaridades pessoais. Esses momentos podem ser tão sutis que as mães de primeira viagem não costumam reconhecê-los exatamente como são. Se a criança desconfia que choramingar, reclamar, rebelar-se ou parecer assustada vai dobrar você, será isso que ela vai usar e, uma vez que você nunca passou por isso, talvez não perceba o que está acontecendo. Ela não está brigando por panquecas com molho; está brigando pelo controle.

Como mãe, seu trabalho é entender as inseguranças de seu filho e ajudá-lo a lidar com elas de uma maneira saudável e dócil. Vamos analisar uma questão comum como exemplo. Imagine que você está deixando seu filho na creche ou na pré-escola. Sei que isso ainda está por acontecer daqui a um ano ou dois, mas você passará por isso antes de perceber. No primeiro dia de aula, você e seu filho de 3 anos estão um pouco atrasados. Quando você chega, a maioria das outras crianças já se acomodou e está pintando o crachá com seu nome. Você e seu filho caminham pela porta da sala, e ele, já se sentindo um estranho, o que faz? Agarra sua perna como se estivesse à beira de um precipício no monte Everest e fosse certamente morrer se você o largar.

Você é nova nisso; nunca deixou uma criança pela primeira vez na pré-escola, e, por isso não está completamente segura do que deve fazer. Felizmente, a srta. Joana, a professora, tem mestrado em educação e em desenvolvimento infantil, de modo que diz a si mesma: "Oh, oh, é melhor eu ajudar a ovelha desgarrada a entrar no rebanho". Pede licença, vai até você e seu filho, fica de joelhos, com os olhos no mesmo nível dos olhos do menino e gentilmente diz: "Olá, Alexandre".

O primeiro ato oficial de Alexandre é enterrar o rosto entre as suas pernas, tentando fingir que nada daquilo está acontecendo. Já faz um tempo que você não o vê agir assim; parece que ele está retrocedendo um pouco, e, agora, você está realmente confusa. Começa a se questionar se está fazendo a coisa certa ao trazê-lo à pré-escola. Será que não seria melhor ter esperado um pouco mais?

O que está acontecendo aqui? Bem, tente enxergar pelos olhos dele: Alexandre está um pouco assustado. Ele nunca enfrentou essa situação; portanto, o medo é uma atitude normal. Especialmente se ele nunca viu a professora ou se você estiver longe do alcance dos olhos dele por mais de cinco minutos.

Depois de um pouco de persuasão e de muita conversa, você e a srta. Joana finalmente conseguem fazer Alexandre tirar a cabeça de suas pernas e dizer um "oi" abafado. Com um esforço ainda maior, a professora consegue que Alexandre solte sua perna e o acompanha até o grupo.

— Atenção, todo mundo! — diz ela. — Quero apresentar a todos vocês o Alexandre. Vocês podem dizer "oi" para ele?

— Oooooi, Alexandre" — diz a classe a uma só voz.

Você fica por ali o tempo suficiente para vê-lo entrar alegremente no jogo do grupo. Ele faz um pequeno aceno na sua direção apenas para que você saiba que ele está bem, e você volta para o carro e chora como um bebê porque seu primogênito está crescendo e não precisa mais de você!

Em razão desse cenário, o que você acha que vai acontecer no dia seguinte? Será que Alexandre vai entrar na pré-escola como se fosse o dono do lugar, bater nas mãos de todos e dizer em alto volume "E aí, 'profe', o que vamos fazer hoje?"?

Improvável. Isso vai acontecer somente daqui a alguns anos.

O mais provável é que ele recue mais uma vez e se agarre novamente às suas pernas. Você, a mãe de primeira viagem, está compreensivelmente confusa.

— Mas, Alexandre, você se lembra de como se divertiu ontem?
— Não.
— Não quer ficar lá de novo?
— Não.

Lá no fundo, é bem provável que ele queira ficar, mas também quer as mesmas boas-vindas que recebeu no primeiro dia. Aquela apresentação fez o dia anterior seguir tão bem que ele decidiu se conter, esperando que a srta. Joana viesse novamente até ele e o acompanhasse, fazendo em seguida outra grande apresentação. E se todos os alunos da classe dissessem aquele "Oooooi, Alexandre" outra vez, bem, isso seria a cereja do bolo.

Quero que, como adulta, você tente ser aquela criança de 3 anos por apenas um minuto. Você preferiria entrar numa situação de grupo, fria como pedra, ou gostaria de esperar a doce e cheirosa companhia que tem mãos suaves e voz encorajadora? Conheço muitos quarentões que morrem de medo de se misturar aos convidados de uma festa, de modo que não devemos ser tão duros com crianças de apenas 3 anos.

Mas isso não significa que vamos ceder às suas exigências. As crianças percebem desde muito cedo como podem controlar situações — sendo barulhentas, ofensivas, tímidas ou fingindo-se doentes. Já vi de tudo. Contanto que o comportamento que adotam lhes conceda o que querem, elas não se importam muito com o método que você exige. E elas são suficientemente espertas para descobrir como dobrar você.

ENTÃO, O QUE VOCÊ DEVE FAZER?

No segundo dia, agache-se até o nível dos olhos de Alexandre e lhe dê um abraço de apoio. "Querido, estas são as mesmas crianças que estavam aqui ontem, e olhe ali — a srta. Joana também está aqui. Você precisa entrar na sala de aula agora; esse é o seu trabalho, e mamãe precisa ir para o trabalho dela". Dê-lhe um abraço e um beijo e, se ele começar a reclamar, chame a professora. Tente comunicar "Estou indo. Fique com Deus!" e, então, vá. E não olhe para trás.

Se você ficar ali e discutir com seu filho, ou sair e ficar por ali, ou voltar para dentro da sala, estará convidando-o a usar a grande arma: um ataque de choro de grandes proporções.

No terceiro dia, você deve ser ainda mais rápida. A lição aqui é uma que já declarei anteriormente: não inicie hábitos que você não quer ver continuados. Se você não quer debater com seu filho sobre os méritos da pré-escola todas as manhãs, não entre em um debate sequer. Tão logo você faça alguma coisa uma vez, seu primogênito verá isso como uma licença e um privilégio para continuar fazendo aquilo pelo resto da eternidade. Assim que você der o segundo biscoito à criança em determinada noite, você acabou de criar a expectativa de que toda noite ela pode esperar por dois biscoitos. Ela sabe que talvez tenha de trabalhar por aquele segundo biscoito, mas, se conseguiu dobrar você uma vez, ela imagina que pode fazê-lo duas vezes.

Portanto, naquele terceiro dia, opte por separar-se tranquilamente de seu filho. Se conversar com qualquer mãe experiente, ela lhe dirá que, embora possa fazer barulho quando você sair, a criança normalmente se acalma logo depois. Por quê? Não há plateia. Aquela professora experiente não será tocada como um violino. Seu filho percebe isso e coloca seu instrumento de volta na caixa.

Mesmo depois desse terceiro dia, permaneça alerta. Uma coisa que notei com Rosie, a cadela de Lauren: ela estava indo muito bem no treinamento, mas, então, teve alguns dias ruins. Ela regrediu, testando Lauren e a nós mais uma vez para ver se realmente éramos os machos alfa da família.

Seu filho fará isso também. Assim que souber qual é o lugar dele, vai se acalmar e sentar-se de maneira bastante confortável — por algum tempo. Mas, se ele vir que as defesas da mãe estão se enfraquecendo, sairá outra vez, de armas em punho, desafiando sua autoridade. Você deve permanecer firme no comando. Seu filho precisa que você se mantenha no controle.

RESUMINDO

Isto pode parecer um pouco repetitivo, mas essa questão da criação de filhos é tão importante que quero me certificar de que você está entendendo. Aqui está o que conversamos, na forma de um "resumo".

Como se disciplina uma criança de 3 anos de idade (ou, a propósito, até de menos idade)? Dando-lhe uma vida disciplinada. Você faz coisas que são boas para você e para o seu casamento. Você mantém uma autoridade sadia sobre seu filho e, ao fazer isso, ajuda a garantir que está criando um menino que respeitará as mulheres quando se tornar homem ou uma menina que respeitará os homens quando se tornar mulher. Você evita dar início a hábitos que não quer que continuem pelos próximos dezoito anos.

Quanto mais disciplinada você for em relação a isso, mais fácil será. Se, por exemplo, treinar seu primogênito a permanecer quieto na cama até que venha e o pegue, você ganhará o direito de usar o banheiro, escovar os dentes e cuidar de coisas pessoais antes de iniciar seu longo dia como mãe. Seu filho pode aprender a folhear livros ou se divertir com algum brinquedo, mas ele sabe que não pode sair até que você o pegue. Consegue entender como isso será mais fácil para você? Imagine quanto mais energia você terá — e como, em última análise, você provavelmente será melhor como mãe — se puder permanecer no controle e estabelecer pequenos rituais como esses?

Agora, digamos que você não faça isso. Vamos dizer que você espere até que a criança chore antes de deixá-la sair do berço. O que isso diz à criança? "Eu estou no controle. Assim que quero que meu dia comece, tudo o que tenho a fazer é começar a berrar, e mamãe virá correndo."

Nessa casa, você acordará, andará na ponta dos pés pela cozinha, talvez opte por não dar descarga no banheiro e escovará os dentes em silêncio, tudo porque você tem medo de acordar aquele pequeno tirano. Essa criança não tem sequer 1 ano de idade, e já deixa você amedrontada!

"Mas, dr. Leman, como posso treinar meu filho a esperar até que eu o tire do berço?"

Crie uma agenda, atenha-se a ela e não ceda ao choro. Pode levar até quatorze dias para estabelecer isso, mas, se você se mantiver firme, por fim seu filho entenderá a ideia e aprenderá a manter-se ocupado enquanto você se prepara para encarar o dia.

Você ficará melhor nisso com o segundo filho. Criar duas crianças ao mesmo tempo significa que, às vezes, você terá de deixar algumas necessidades não atendidas porque você é uma só e eles são dois. Uma criança pode precisar de uma troca de fraldas enquanto a outra está implorando a você que lhe dê o almoço. Bem, você não pode fazer as duas coisas; alguém terá de esperar.

Mas com um primogênito, sua tendência será atender a todo e qualquer pedido.

Seu primeiro instinto será: "Como posso fazer a Marina parar de chorar? Se ela está chorando, é meu dever fazê-la parar!". Mais tarde, você aprenderá que todo bebê chora e não deixará que a criança a manipule dessa maneira. Para algumas, essa pode ser uma lição difícil de aprender, mas é uma lição essencial. Quanto mais cedo você colocá-la em prática, melhor.

UM ANIMAL SOCIAL?

Outra tendência dos pais de primeira viagem é tentar criar um superfilho. Você envolve seu filho em aulas de acrobacia, dança, brincadeiras em grupo e outras atividades, tudo em nome da boa atividade física e da "socialização".

Para mim, isso é mais ou menos como reservar a igreja para o casamento de sua filha antes mesmo de ela ter idade suficiente para namorar. Você está colocando o carro na frente dos bois.

Para começo de conversa, um bebê pequeno precisa aprender a criar vínculos com sua mãe. A criação de vínculos não é algo que acontece em dois dias, duas semanas, nem mesmo de maneira completa em dois anos. É um processo longo. Quanto mais fortalecer esse vínculo entre você e seu filho — fazendo coisas engraçadas juntos, brincando no parque, segurando a mão um do outro —, mais você criará um vínculo para toda a vida.

É muito interessante brincar com crianças de 2 ou 3 anos; elas podem ser bastante criativas, ficam felizes simplesmente por ter a sua atenção, e são pequenas o suficiente para você levantá-las no ar e balançá-las um pouco. Quando veem uma lagarta pela primeira vez, parecem ter encontrado ouro. E o modo como riem? Não é adorável ouvir uma criança pequena gargalhando?

Em pouco tempo seu filho entrará na pré-escola ou no jardim de infância e desenvolverá outras amizades fora de seu círculo familiar. Em vez de brincar com seu filho, você o observará brincando com outra pessoa. Mas não há razão para apressar esse processo — e existem muitas boas razões para atrasá-lo.

Penso que, entre os 3 e os 3 anos e meio de idade é saudável que seu filho se envolva com outras crianças. É por isso que há benefícios no jardim de infância. Mas se você se decidir a não matricular seu filho ainda, não fique pensando que é uma mãe ruim e não ache que você terá um filho socialmente incapaz. Ninguém da minha idade frequentou o jardim de infância e pelo menos a maioria de nós parece estar se saindo muito bem.

Muitos pais — até mesmo os experientes — falam como se a criança fosse se tornar um exilado por toda a vida se não a iniciarem bem cedo numa variedade de programas para alongar seu corpo, sua mente e suas habilidades sociais. Mas não vejo muito benefício em mudar sua rotina para produzir a socialização antes dos 3 anos de idade. Sim, haverá momentos em que seu filho pequeno estará no berçário da igreja, ou seu melhor amigo virá visitá-lo em sua casa com um filho pequeno da mesma idade do seu. Mas círculos de brincadeira e experiências em grupo são, em minha opinião, superestimados. Para crianças de até 3 anos, estou muito mais preocupado com o que está acontecendo entre pai e filho do que com "quão social" a criança possa parecer.

Portanto, resista à tendência; assim, você e seu bebê se darão melhor no longo prazo. De modo algum matricule seu filho de 2 anos na ginástica porque você está preocupada com o fato de ele não parecer ser muito bom em brincar coletivamente. Isso é demais, muito cedo, muito rápido. Seu filho terá tempo suficiente para se socializar com outras crianças. E o sucesso dessa socialização dependerá em grande parte do vínculo que seu filho tem com você, não das experiências com outras crianças menores de 3 anos.

Simplesmente espere. Além disso, quando sua filha tiver 13 anos, ela será tão social que vai deixá-la louca. Toda vez que você atender o telefone, terá de sofrer com as risadas de duas meninas por causa do "bobão" que viram naquele dia na aula de educação física.

Percebo que muito do que estou dizendo vai contra a opinião popular, mas espero que você tome o meu partido. Façamos um acordo. Vá até o estacionamento de um jardim de infância. Se você me der uma nota de 5 reais a cada mini*van* e SUV que vir estacionada, eu lhe darei uma nota de 20 a cada carro de outro tipo. Quem você acha que vai sair ganhando nesta? Aposto que ganharei, de longe. Sabe por quê? Porque nós, humanos, tendemos a agir como clones. Olhamos o que os outros estão fazendo — comprando carros grandes, por exemplo — e, então, fazemos a mesma coisa. É parte de nosso desejo humano de conexão, de aceitação. Mas às vezes "a mesma coisa" não é uma coisa boa.

Nestes nossos dias, nós nos preocupamos demais com a socialização prematura e de menos com o vínculo entre pais e filho. Uma criança saudável não precisa estar cercada de outras crianças antes de completar 3 anos, mas uma criança saudável precisa dos cuidados constantes de pais amorosos. Contudo, muitas vezes invertemos a posição dessas verdades e deixamos as crianças o dia inteiro em creches e pré-escolas enquanto saímos para tratar das nossas coisas. Esse pensamento está invertido e já passou da hora de resistirmos a ele.

A socialização, é claro, é a principal crítica lançada aos pais que lecionam para seus filhos em casa, prática até certo ponto comum nos Estados Unidos. Mas fico surpreso com o que muitos desses pais são capazes de fazer. Eu e Sande não ensinamos nossos filhos em casa, mas vejo muitos benefícios para algumas famílias que buscam fazer isso. O pior argumento contrário à educação em casa é o da "socialização", e não creio que esta seja, de modo algum, uma questão tão importante.

Na essência, a pressa em socializar nossos filhos nega o pleno impacto que podemos ter como pais. Não se deprecie; você pode fazer uma tremenda diferença na vida de seu filho. Dizer palavras encorajadoras e amorosas, oferecer estimulação tátil, rir juntos, ler juntos, fazer refeições juntos e criar um senso geral de pertencimento são atos dez vezes mais importantes do que colocar duas crianças pequenas juntas no mesmo *playground* durante uma hora e chamar isso de "socialização".

CRIE RECORDAÇÕES

As pessoas que me procuram em busca de terapia não se lembram de nada relacionado a brincar com crianças quando tinham 2 anos de idade. Não falam com carinho sobre terem sido levadas de casa para o outro lado da cidade entre as aulas de ginástica, balé ou futebol e as reuniões do grupo de escoteiros. Mas, se lembram de jantares em casa, jogos de tabuleiro com a família às sextas-feiras e torta de maçã esfriando na cozinha — isto é, quando não se lembram da falta dessas coisas.

As lembranças desse tipo são muito mais profundas, duradouras e sadias do que as que resultam de dar ao seu filho uma infância frenética. Você realmente quer que seu filho se lembre de uma mãe que aparentava sempre estar com pressa e estressada, que estava sempre falando consigo mesma ou ao celular enquanto tentava equilibrar uma agenda claramente apertada, preocupada por ficar dez minutos atrasada? Você realmente acha que isso ajuda seu filho?

Diminua o ritmo. Conheça seu filho e crie vínculos com ele. Viva uma vida disciplinada. Estabeleça uma autoridade saudável. Se você conseguir fazer essas quatro coisas, seu filho entrará e sairá desse período de sua infância com um caráter forte, um sentimento sólido de que faz parte de algo e uma chance bem alta de se tornar um adulto saudável, atencioso e maduro.

CAPÍTULO 10

Cartas na manga

Informar-se antecipadamente é preparar-se com antecedência. Quero equipar você com o conhecimento pleno das seis das táticas mais comuns que as crianças pequenas usam para chamar sua atenção ou para conseguir coisas. Depois de décadas realizando aconselhamento familiar, descobri que poucas crianças são verdadeiramente originais. Portanto, não desanime: seja o que for que seu filho esteja fazendo, quase certamente já foi feito muitas vezes. Você só precisa conhecer as "cartas na manga" de seu primogênito e a melhor maneira de reagir a elas.

MORDER

Existe uma igreja em Tucson, Arizona, que minha esposa nunca mais vai querer visitar. Levamos Hanna ali quando ela era suficientemente pequena para ficar no berçário. Algum menino arrancou um pedaço do chapéu de nossa filha com os dentes e, para falar a verdade, deixou marcas de mordida na cabeça dela. Infelizmente, isso não é tão raro. Um estudo da Universidade de Minnesota descobriu que quase metade das 224 crianças matriculadas numa creche foram mordidas pelo menos uma vez durante um período de um ano.

Crianças pequenas mordem, particularmente entre os 3 e os 4 anos. Algumas o fazem de modo agressivo, outras de forma inocente e outras de brincadeira. Mas não importa a motivação: este é um comportamento que você quer eliminar logo de início.

Por que as crianças mordem? Boa pergunta. Se soubéssemos a resposta definitiva, poderíamos desenvolver melhores estratégias para interromper esta atitude. Mas tenho de confessar que este é um dos problemas de caráter mais difíceis sobre os quais já aconselhei. Meu palpite é que grande parte das mordidas dadas por crianças tem mais a ver com sua dentição; mastigar alguma coisa, ainda que seja carne humana, as ajuda a se sentirem melhor por um segundo ou dois. Outras crianças podem morder como sinal de raiva, frustração ou agressão. Algumas simplesmente querem atenção, e aprenderam que a reação de horror à mordida é um ótimo meio de se fazer notar. Outras podem ver algo balançando na frente delas e morderem por curiosidade, quase se esquecendo de que existe uma pessoa conectada àquele dedo dançarino.

Mais uma vez, é bom saber a motivação de seu filho ao considerar a melhor maneira de abordar o comportamento. Especialistas se debruçam sobre esta questão para descobrir como lidar com ela. Alguns vão lhe dizer para morder de volta e, por incrível que pareça, muitos pais me disseram que morderam seus filhos em resposta à mordida deles, e isso interrompeu o comportamento imediatamente. Mas, como psicólogo, não posso fazer essa recomendação. Para começar, se você romper a pele de seu filho, pode transmitir a ele uma infecção séria. Você também terá muita dificuldade para explicar aquela marca de dentes ao representante do Conselho Tutelar.

Sugiro que você diga um "Não!" firme e forte. Agite seu dedo enquanto diz isso e, então, imediatamente remova seu filho da cena. Isole-o por um ou dois minutos, o que parecerá uma eternidade para uma criança de 2 anos. Quando seu filho aprender que morder significa ficar isolado, ele provavelmente pensará duas vezes antes de repetir tal ato.

Tenha em mente que a criança não nasceu com um mecanismo de autocontrole plenamente desenvolvido. Você precisa reservar um tempo para ensiná-la que existem maneiras certas e erradas de reagir à agressão dos outros. Você pode usar palavras, pode se afastar, pode dar as costas, mas não deve morder.

Esse tipo de conversa pressupõe certa maturidade, outra razão pela qual não vejo necessidade de socializar crianças com menos de 3 anos. Crianças abaixo dessa idade provavelmente agirão de acordo com seus impulsos, e elas não têm habilidade para entender as explicações equilibradas que você der.

PRENDER A RESPIRAÇÃO

Crianças menores, particularmente as com menos de 3 anos, logo descobrem como mamãe e papai ficam assustados diante de qualquer emergência médica potencial. Particularmente quando uma mãe ou pai exagera na reação diante de um pequeno ferimento, o filho rapidamente entende como esse medo pode ser usado para proveito próprio. Sentindo-se indefeso, ele decide assumir o controle. "Ah, sim", diz a si mesmo, "já saquei. Se você não fizer as coisas do meu jeito, vou parar de respirar".

Isso pode aterrorizar uma mãe de primeira viagem, em especial quando a criança fica vermelha ou até mesmo arroxeada. Infelizmente, algumas mães ficam tão assustadas que cedem imediatamente. "Não vale a pena morrer por causa de um biscoito", pensam elas; mas a motivação para dar o biscoito àquela criança não poderia ser mais errada.

Embora este seja um truque popular entre as crianças, trata-se de uma ameaça inexistente. Uma criança não consegue se ferir segurando a respiração. Ainda que seu filho seja incomum e consiga chegar ao ponto de desmaiar, tão logo o fizer, voltará a respirar outra vez.

Seu melhor antídoto é ignorar o comportamento ou dizer algo como "Menino, isso deve estar ficando bem desconfortável; mas você não vai conseguir o que quer", e então sair. O único poder que essa tática terá é o poder que você mesma lhe conferir dando a ela qualquer atenção. Leia novamente a frase anterior, porque ela é a chave para interromper qualquer comportamento indesejado de seu filho.

CHORAMINGAR

Sabe qual é a melhor defesa contra o choramingo? Construir a cela da lamúria! Não estou brincando. Talvez seja mais econômico designar um cômodo para esse propósito, mas a ideia é que, assim que você colocar seu filho num lugar onde não possa ouvi-lo, a ladainha não pode e não vai continuar.

O ato de choramingar inevitavelmente surge quando seu filho tem idade suficiente para responder e não só é proibido de fazer algo que quer, como também é obrigado a fazer algo que não quer. Todo mundo será mais feliz se você cortar o choramingo pela raiz. Quando tenta conversar durante uma sessão de lamúrias, você reforça o comportamento indesejado, pois está lhe dando atenção. Quando Melissa, com seus 2 anos de idade, chuta a porta e sua resposta é "Melissa, pare de chutar a porta!", o que Melissa faz?

Chuta, chuta, chuta, chuta.

Neste ponto, muitos pais de primeira viagem cometem um grande erro, ao insistir: "Melissa, eu não lhe disse para não chutar a porta? Por que você está chutando essa porta?".

Chuta, chuta.

"Melissa se você chutar a porta mais uma vez, você vai ver!"

Chuta, chuta, chuta, chuta, chuta, chuta.

Melissa está conseguindo exatamente o que ela quer: a sua atenção. Se você permitir que seus filhos façam algo três vezes antes de advertir "mais uma vez", eles vão entender que precisam fazer alguma coisa quatro vezes antes de realmente terem de parar. O mesmo acontece com o choramingo.

Veja este cenário:

— Mas, mamãe, não quero ir à casa do Bruno hoje; ele é chato.

— Querido, a mãe do Bruno é a minha melhor amiga, e nós vamos até lá.

— Mas em vez disso não poderíamos ir ao parque?

— Não, vamos à casa do Bruno.

— E se a gente for à piscina? Você não quer ir à piscina?

— Querido, já disse à mãe do Bruno que iríamos até lá.

— Mas eu não quero ir. Por que a gente não fica aqui em casa?

Toda essa conversa é desnecessária. Se você não quiser reforçar um comportamento negativo, não reaja a ele. Remova-se da situação. Não dê qualquer indicação de que o comportamento tem a menor chance de ser tolerado — ou que existe uma possibilidade de conceder à criança aquilo que ela deseja. Você não é obrigada a explicar suas ações a uma criança de 2 anos!

Algumas mães enfrentam esse cenário e, depois, me falam: "Dr. Leman, eu não cedo. Mas, ainda assim, meu filho choraminga o tempo todo. Como pode?".

Ainda que o garoto saiba que você não vai ceder, se ele for teimoso (e, como eu disse anteriormente, qual criança não é?), vai tentar fazer você pagar por forçá-lo a visitar Bruno. Ah, ele sabe que ir à casa daquele chato do Bruno é inevitável, mas acha que, se puder estragar sua manhã inteira, você pensará duas vezes antes de fazê-lo ir novamente. Em outras palavras, ele está punindo você por fazer algo que ele não quer, e mais: está tentando *moldá-la*! Você vai deixá-lo fazer isso, ou é você quem está no controle?

Como pôr fim à lenga-lenga? Bem, como você faz um peixe parar de nadar? Você tira o peixe para fora da água! Mantenha a linha dura, coloque a criança num lugar onde você não possa ouvir suas táticas de guerrilha, vê-las ou responder a elas, e então saia. Remova a plateia, e o ator terá de parar.

Use a cabeça. Se, em resposta, você gritar "Não posso ouvir você!", o pequeno saberá que você pode ouvi-lo, caso contrário não estaria dizendo isso. Mas, se você for para o outro lado da casa, colocar alguma música para tocar e realmente se concentrar em alguma outra coisa, ele vai entender que aquela ladainha está caindo em ouvidos moucos.

MASSACRES À MESA

Vamos supor que você tenha lido com grande interesse tudo sobre o que falamos até aqui. Você preserva o momento da família em torno da mesa de jantar e está ansiosa para ter uma interação de qualidade com seu filho. Então, certa noite, um massacre à mesa tem início. A comida começa a voar, seu filho está gritando, você está com aquela cara que diz "Eu perdi, e ser mãe é simplesmente impossível", e o restante da noite parece arruinado.

Nem toda criança vai fazê-la experimentar esses episódios, mas muitas o farão. Você pode ter três filhos que se comportam como peixinhos dourados à mesa: comem a comida em silêncio, mal fazem barulho, quase não fazem bagunça. Mas talvez você também tenha uma piranha. Ela joga a comida, chuta a bandeja do cadeirão, derruba talheres e pratos no chão e depois bate palmas demonstrando prazer!

O que está realmente acontecendo e o que você pode fazer em relação a isso?

Descubra a motivação de seu filho

Primeiramente, você precisa descobrir a motivação para tal atitude. Algumas crianças fazem coisas bobas à mesa do jantar simplesmente por curiosidade. O que você vê como comida, a criança pode ver como uma dúzia de sensações diferentes: "Este purê de batata é bastante macio na minha mão; qual será a sensação no cabelo? Uau, o milho é amarelo! Olha só como ele voa! Oba! Aquele ali aterrissou no pote de açúcar! Talvez eu consiga colocar este na manteiga! Estas cenouras cozidas mudam de forma quando você as derruba no chão. Legal! A forma fica mudando! Isso é demais!".

Como você determina se isso é curiosidade ou rebelião? Com o tempo você será capaz de dizer. Se você conhece seu filho, então sabe o que está por trás de seus pensamentos. Verifique a atitude dele. Ele está sorrindo ou fazendo cara feia? Ele aparenta realmente estar explorando ou está tentando usar o comportamento negativo para chamar sua atenção? Não acho que seja correto punir crianças curiosas.

Estabeleça expectativas realistas

Segundo, muitos pais de primeira viagem simplesmente esperam demais de seus filhos pequenos, particularmente na hora das refeições. As crianças não ficam sentadas por quarenta e cinco minutos enquanto você tem uma conversa adulta sobre economia. Se você espera levar uma criança pequena a um restaurante, com todo tipo de sons, cheiros e coisas novas, e ainda espera que ela ignore tudo isso, ficando quieta por uma hora ou mais, comportando-se como um adulto, você simplesmente não está sendo realista.

Se você quer realmente desfrutar de uma refeição num restaurante, deixe o bebê com seus pais ou com uma amiga próxima. Não coloque seu filho numa situação em que 90% dos bebês fracassarão. Sim, isso significa que você terá de limitar suas atividades por um período, mas não quer dizer que não possa mais sair para comer. Apenas quer dizer que você deve fazer isso numa ocasião particular, e não como uma atividade de toda a família.

Algo que tem a ver com tudo isso é o fenômeno Disney. Tudo bem, já reclamei disso em outro ponto do livro, mas me dê um pouco de liberdade para subir em meu banquinho e discursar de novo (sem ofender o mundo Disney). Nunca saberei a razão pela qual os pais levam os filhos à Disney. E o motivo de eles acharem que seus filhos pequenos vão se comportar depois de três ou quatro horas está simplesmente além da minha compreensão. Se você tem de fazer uma viagem de férias cara com seu filho pequeno, compre uma entrada para vários dias e esteja certo de que vai sair do parque cedo todos os dias. As crianças pequenas não foram planejadas para permanecer pacíficas, cooperativas e quietas quando sua agenda de soneca é quebrada, quando sua agenda alimentar é destruída por guloseimas, pipoca e bebidas doces, e quando sua pequena mente recebe excesso de estimulação por meio de passeios, visões, sons e música constante. De fato, se você levar seu filho ao passeio de barco pelo minimundo, pode muito bem arrumar suas coisas e ir embora dali mesmo! A criança já viu o suficiente para um dia inteiro apenas nessa atração, com todo aquele visual, aqueles sons e aquela música eterna, irritante e pegajosa!

Todas as vezes que estive no Magic Kingdom, vi mães que parecem exaustas e infelizes, crianças assustadas e chorando e pais desanimados calculando mentalmente que aquelas férias terríveis estão custando cerca de 500 dólares por dia. Ouça com atenção: as crianças têm limites. Exceda esses limites — até mesmo nas férias — por sua conta e risco. Se o seu filho estiver claramente cansado, ele vai fazer barulho, gritar e choramingar. Não importa se ele está num parque da Disney, num restaurante chique ou numa festa de aniversário no McDonald's. Crianças cansadas desabam.

Se você tiver criado vínculos com seu filho, em pouco tempo saberá que o olhar em seu rosto diz que o jantar acabou. Antes que haja um ataque ou uma confusão, remova essa criança do cadeirão e poupe-se do aborrecimento de ter de passar um pano no chão da cozinha, nas paredes e no teto.

ROTINA DE SONO

Esta é uma preocupação bastante comum. Quando uma mãe me pergunta sobre isso, começo dando a ela algumas informações básicas.

Estabeleça uma rotina que você possa seguir por bastante tempo
A maioria das crianças tem uma rotina. Seu trabalho é moldar essa rotina e, então, segui-la. O problema é que, quando a maioria dos pais vem até mim, a rotina já está estabelecida, e eles precisam mudá-la. É um pouco mais difícil fazer isso, mas ainda é possível.

Muito embora você esteja lidando agora com seu primogênito, quero alertá-la em relação ao seu filho número dois, se essa criança surgir: não espere que ela tenha a mesma rotina. Ela não terá. Cada um dos meus cinco filhos foi completamente diferente do outro na questão da rotina de ir para a cama. A filha número quatro, por exemplo, precisava do seu "weebie" antes de ir para a cama. Em algum momento de sua vida, Hannah pegou um retalho quadrado de uma roupa velha de Sande. Ela simplesmente adorava o toque daquele retalho em seu rosto; era tão macio e brilhante que ela precisava dele todas as vezes que a deitávamos para dormir. Sande terminou fazendo uma bainha e transformou aquele retalho num tipo de cobertor, mas ainda o chamávamos de "weebie". Você pode estar se perguntando: por que o chamávamos assim? Porque foi assim que Hannah começou a chamá-lo quando tinha 2 anos de idade! (Sua família criará muitas palavras — chame isso de vocabulário da família. Algumas delas, é claro, não poderão ser compartilhadas com pessoas de fora nem com namorados e namoradas).

Já Holly, nossa filha número um, tinha vários cobertores dos quais, de modo que parte de sua rotina era escolher um deles. Recomendo que você tente encontrar uma coisa com a qual seu filho goste de dormir e mantenha essa coisa. Quanto mais opções tiver para escolher, mais ele poderá atrasar a hora de dormir enquanto pondera sobre a decisão. Já ouvi falar de algumas crianças que levam quarenta e cinco minutos para escolher qual será o animal ou a boneca com que vão dormir naquela noite. Não caia nessa armadilha! Dê a seu filho trinta segundos para escolher e, então, diga: "Se você não escolher, mamãe vai escolher por você". Cuidado: se você disser isso, cumpra o que diz e não volte atrás. Você se poupará de muitos arrependimentos no futuro quando seu filho aprender que você falava sério em relação ao que disse na hora de dormir.

Assim que estabelecer sua rotina — escovar os dentes, ler uma história, escolher o pijama ou o cobertor, beijar seu rosto, fazer uma oração — que Deus tenha misericórdia da sua alma se você deixar de cumprir um dos passos, especialmente com um primogênito. É por isso que recomendo que, quanto mais simples for a rotina, melhor será tanto para você quanto para seu filho. Talvez você consiga gastar sessenta minutos colocando seu filho para dormir na maioria dos dias, mas com o passar do tempo essa rotina vai assombrar você. E se você tentar enxugá-la para quarenta e cinco minutos, passará outra meia hora tentando explicar por que não está cumprindo aquela rotina normal!

Prenda-se à sua rotina como cola

Por que é tão difícil fazer alguns primogênitos dormirem à noite? Para começar, eles não têm um irmão ou irmã que também precisa ir para a cama. Da perspectiva do primogênito, ele é o único na família inteira que precisa ir para a cama cedo, e isso é uma injustiça!

Segundo, seu filho está pensando: "É tão legal ficar com mamãe e papai. Sinto-me seguro e, se preciso de alguma coisa, tudo o que tenho de fazer é me agitar ou chorar que eles logo estarão por perto!". Ora, por que essa criança deveria querer ir para um quarto escuro sozinha, onde não haverá papai e mamãe para ouvir cada pequeno soluço e correr ao menor som de perigo?

Precisei ter dois filhos para compreender o poder da rotina. Nossa verdadeira primogênita, Holly, era uma excelente manipuladora — como éramos bobos naquela época! Eu a deixava me conduzir como se eu fosse uma marionete de 100 quilos. Nosso corredor não tinha mais do que 6 metros de comprimento, mas Holly conseguia esticar essa caminhada por bons quinze minutos.

Você já tentou fazer um homem de neve com neve molhada? Não há nada melhor, pois é tão fácil de tirar a neve da grama que ela deixa um claro caminho verde por trás de si. Assim era Holly em seu caminho para a cama: uma bola de neve rolando sobre neve molhada. Passávamos por um urso, e ela dizia "Uh, uh, uh, uh!" até que parássemos para pegá-lo. Depois, ela queria um travesseiro, um brinquedo, um cobertor — qualquer coisa pela qual passássemos, desde que o ato de parar para pegar aquilo adicionasse outros dez segundos à rotina. Tudo era sugado por meus braços a caminho da cama. Não demorava muito e o berço de Holly mais parecia um ferro-velho, cheio de coisas, sem espaço para ela. E apenas uma dose de sorte era capaz de garantir que uma daquelas coisas fosse tirada da cama para que ela tivesse onde dormir!

Aqui está uma pergunta simples que pode tornar sua vida muito mais fácil. Quando a faço a mães atormentadas, posso ver a tensão sair do rosto delas ao reconhecerem o que estou dizendo. Faça esta pergunta a si mesma: "Eu realmente quero estar sujeita às exigências de meu filho pelo resto da vida?".

Se a sua resposta for sim, não há nada que eu possa fazer por você! Prepare-se para ser um horrível capacho até o fim de seus dias.

Mas, se a sua resposta for não, então comece agora ajudando seu filho a estabelecer uma rotina bem simples e concisa para a hora de dormir. Lembre-se: você é a mãe. Você está no controle. Se você agir dando a entender que as coisas sempre serão assim, seu filho vai entrar na linha. Se ele pensar que pode argumentar ou dirigir seu caminho para a cama, ou pelo menos atrasar o momento de dormir em mais uma hora, ele nunca vai parar.

O perigo acontece quando você está realmente cansada (outra razão para se analisar seriamente a questão de trabalhar por muitas horas enquanto cria seus filhos). Se, em razão do cansaço, você ceder a um único gemido para evitar um confronto que você simplesmente não tem forças para encarar, por que motivo seu filho pensaria que algo pode ser diferente na noite seguinte? As crianças são mestres naturais do jogo da manipulação.

Portanto, esforce-se para desenvolver uma rotina bem simples e apegue-se a ela. Seu filho pode reclamar na primeira ou segunda noite, mas, se você não ceder ao choro dele, estará lançando os fundamentos para anos de beijos de boa-noite muito mais fáceis.

ATAQUE DE CHORO

O que estou prestes a dizer vai soar tão incomum e tão contrário à tendência do pensamento moderno que você pode se sentir tentada a desprezar logo de cara. Mas, por favor, me acompanhe: o simples fato de seu filho não estar feliz não é uma razão suficientemente boa para você rearranjar sua vida de modo a facilitar as coisas para ele.

Se você não acredita nisso, está se preparando para algumas das maiores lutas por poder com seu filho. Se acha que a felicidade de seu filho é a coisa mais importante do mundo, você vai desabar tão logo ele bata o pé, grite e berre, dizendo a todo mundo quão infeliz ele é.

Para que seu filho amadureça em termos emocionais, relacionais e sociais, ele deve entender que não é o centro do universo. A mensagem que você deve transmitir é esta: "Você é importante, amado e valorizado, mas existem outras pessoas que também são importantes na vida, além de você".

Se você criar filhos egocêntricos, eles nunca terão um casamento feliz. Sempre brigarão com as pessoas no trabalho. E ficarão frustrados por toda a vida. O melhor presente que você pode dar a seu futuro genro ou nora é um cônjuge que aprendeu a colocar as outras pessoas em primeiro lugar.

O que acabei de dizer tem tudo a ver com a resposta aos ataques de choro de uma criança pequena. Primeiro e mais importante: um ataque de choro é uma grande luta pelo poder; é a tentativa de uma criança de lançar o desafio e dizer: "Até onde você está disposta a ir para negar o que eu quero?". Choramingar (sobre o que falamos anteriormente neste capítulo) é o primeiro estágio dessa luta pelo poder; o ataque de choro é o último.

Sua resposta deve ser semelhante àquilo que você fez quanto ao choramingo.

Saia de perto
Primeiro, abandone a luta pelo poder e saia da frente da criança. De forma alguma você deve permitir que seu filho pense que esse comportamento vai chamar sua atenção em qualquer nível ou despertar alguma preocupação em você. Você deve remover completamente toda motivação que leve seu filho pequeno a se comportar dessa maneira. Simplesmente passe por cima dele enquanto ele grita no chão, e saia do cômodo. Não negocie: "Se você não parar de chutar e gritar, vou colocar você no seu quarto...". Seu filho precisa aprender que não deve esperar ter um debate com a mãe, que é vinte e cinco anos mais velha e muito mais sábia. Seu filho também precisa perceber que certas formas de comunicação não serão toleradas, especialmente os ataques de choro.

Fique calma
Diga coisas uma vez com um firme *não* e, se você não puder sair de cena, pegue a criança e remova-a do local. Ela precisa aprender que não é seu trabalho satisfazer toda necessidade que ela possa conceber. Às vezes não podemos fazer o que queremos porque outros estão ocupados com outras coisas. Até mesmo uma mãe não pode largar tudo para satisfazer seu primogênito.

Pense no longo prazo
Se as coisas ficarem tensas e sua determinação começar a fraquejar, simplesmente imagine o impacto que um pai sábio pode ter nessa situação. Se o seu primogênito se tornar um alto executivo de uma grande empresa, milhares de funcionários ficarão gratos por você ter confrontado a mentalidade egoísta, dura e de desprezo às pessoas que frequentemente adorna primogênitos fora de controle. Se o seu filho se tornar um membro do governo, aprenderá que as pessoas não são peças a serem usadas e descartadas, mas que elas também têm suas próprias necessidades.

Embora soe como um clichê nesta era de psicologia *pop*, meu objetivo aqui é fortalecer você. Quero que desenvolva o poder de mãe. Você deve assumir uma posição de autoridade sobre seu filho. Como humanos, nós nos autodestruiremos se nunca aprendermos a negar alguns de nossos desejos.

Ao ensinar seu filho que nem todos os desejos dele podem ser atendidos, você estará prestando-lhe um grande serviço. Adoro rosquinhas, mas minha amiga nutricionista Pam Smith me diz que as rosquinhas são umas das piores coisas que eu posso comer no café da manhã. Tive de aprender a negar a mim mesmo esse artigos culinários e a severamente limitar o consumo deles — muito embora eu os aprecie e não me importe em comê-los cinco dias por semana!

Não deixe seu filho dar as ordens

Em meu livro *Faça a cabeça de seus filhos — sem perder a sua*, comento sobre um pequeno garoto que teve um ataque de choro no chão de um *shopping center*, diante de Deus e de 1.500 estranhos. A mãe ficou envergonhada, desconcertada, confusa. Ela foi ridicularizada e podia jurar que seu filho sabia exatamente o que estava fazendo.

O que você deve fazer numa situação dessa? Passar por cima da criança (não *em cima* da criança — resista a essa tentação!) e seguir em frente.

"Oh, isso é ótimo, dr. Leman", posso imaginar algumas de vocês pensando. "O que o senhor vai fazer com a multidão que estiver assistindo?".

Isso é fácil. Simplesmente balance a cabeça e diga em voz alta: "Ah, os filhos dessa gente...".

Aquele garoto vai levantar, batendo os braços pelo caminho, e correrá atrás de você. Você não vai perdê-lo.

Você deve entender a psicologia por trás dessa situação. O que seu filho está essencialmente dizendo é: "Escute aqui, mamãe, você vai fazer o que eu quero que você faça. Sei que as pessoas estão olhando, de modo que vou usá-las como base de poder para me certificar de que você vai sucumbir aos meus desejos por açúcar. Quero açúcar. Você vai me dar um sorvete, um pirulito ou um biscoito porque, se eu não receber açúcar agora mesmo, vou envergonhá-la na frente de todas essas pessoas. Não me importo se você tem um lanche saudável esperando lá em casa nem se comeremos daqui a trinta minutos. Quero açúcar, e quero agora".

Acredite se quiser, mas, quando seu filho age dessa maneira, ele termina por lhe dar um grande presente. Está dando a você a oportunidade de mostrar a ele que, quando você diz não, você quer dizer *não*. Se ele quiser fazer-se de tolo na frente de estranhos, pode seguir em frente. Ele pode dizer que está no controle, ou pelo menos fingir que está por cima, mas, se você permanecer firme, calma e controlada, ele estará frito. Seu presente para ele é dizer e mostrar: "Como mãe, tenho autoridade sobre você. Entendo que quer açúcar, mas sei o que é melhor para você. Vamos comer uma comida saudável em casa".

Não quero assustar você, mas praticamente toda mãe já passou por pelo menos um episódio público bastante embaraçoso com seu filho. Não posso prometer que alguns observadores não vão julgá-la ou olhá-la com desprezo (espere até eles terem seus próprios filhos e então saberão como é!). Mas, se você se mantiver calma, firme e em posição de autoridade, os sábios espectadores a respeitarão e até mesmo torcerão por você. Se quiser realmente parecer patética, simplesmente ceda — assim todos saberão quão fraca você é e, com alguma razão, realmente a julgarão.

Isso não é mera opinião minha. Ninguém menos que uma autoridade, o apóstolo Paulo, disse: "Filhos, obedeçam a seus pais".[1] Quando seu filho tiver entre 2 e 3 anos, você vai enfrentar pelo menos algumas dessas batalhas. Seu filho testará sua autoridade. Você não pode permitir que uma criança dê as cartas em seu lar. Se você entregar as rédeas ao primogênito, ele nunca vai largá-las: vai conduzir você pelo resto da vida.

Não muito tempo atrás, eu estava no aeroporto de Dallas-Fort Worth, sentado numa praça de alimentação, quando uma menina de 3 anos de idade fez que todos num raio de dois quarteirões soubessem que ela queria um McLanche Feliz. Mamãe disse não, e a filha, de maneira audaciosa, deu-lhe um tapa no rosto.

Vovó, que estava sentada por perto, olhou horrorizada. Ficou claramente envergonhada do comportamento da neta, mas aparentemente ainda mais constrangida pelas ações da mãe! Dava para ver as palavras que ela tanto queria dizer: "Você vai tolerar isso?". A mãe não apenas tolerou, como, para piorar as coisas, de fato levantou-se e trouxe o McLanche Feliz para a filha! Tive de lutar contra todos os meus impulsos para não levantar e explicar àquela mãe fraca a sinuca em que ela estava se metendo.

Parte de mim nunca entenderá como nós, adultos, podemos deixar que uma pessoa pequena, com menos de 1 metro de altura, dê as ordens. As crianças percebem isso rapidamente. Elas sentem o poder que têm em lugares públicos, são cientes de que contam com uma plateia, percebem o temor dos pais, notam intuitivamente que ali é onde seus pais são mais vulneráveis. Até mesmo crianças de 3 anos de idade sabem quando a mamãe está amarrada em seu pequeno dedo.

Se seu filho está passando por essa fase, esteja pronta para, a qualquer momento, simplesmente sair da loja. Sim, você pode ter um carrinho cheio de compras. Mas e daí? Simplesmente diga ao gerente: "Desculpe-me, mas preciso lidar com um problema de disciplina". Ele entenderá. Você talvez não tenha terminado de comprar as roupas de que precisava ou não tenha escolhido o presente que pretendia comprar, mas o que está em jogo nessa situação é tão importante que o restante pode esperar.

Não ceda. Assim que conceder poder a seu filho dessa maneira, você terá entrado numa batalha. Quanto mais cedo fizer seu filho entender que você nunca concederá sua autoridade a uma criança que ainda suja suas calças, melhor!

Se você sair da loja e seu filho ainda estiver chutando e gritando, encontre alguma música agradável no rádio, vire os alto-falantes para você, aumente o volume e se desligue de seu filho. É melhor não dizer nada até que a criança esteja calma. Para começar, você provavelmente está envergonhada, irritada e cansada, e esse não é o melhor estado mental quando se está administrando disciplina. E, segundo, seu filho não está mesmo ouvindo o que você tem a dizer. Ele ainda está lutando, e você deve ensinar-lhe que você não debaterá, não gritará por cima dos gritos dele e que esse comportamento nunca vai chamar sua atenção nem lhe dará o poder que ele deseja.

Se seu pequeno filho dormir antes de você chegar em casa, agradeça a Deus por esse pequeno favor e coloque-o para tirar uma soneca. Não se preocupe em trocar a fralda, alimentá-lo ou qualquer outra coisa assim. Não o reanime; simplesmente deixe que durma. Seu principal ato de disciplina já foi realizado: a criança teve um ataque, e o que ela conseguiu com isso? Nada.

Caso ele acorde, ou finalmente se acalme, diga em tom de autoridade: "Querido, o que aconteceu na loja não foi bom. Mamãe não gosta disso; você precisa fazer o que eu falo sem reclamar". Ao falar essas palavras, dê *aquela* olhada de reprovação. Seu filho precisa ver você sendo firme. "Quando mamãe diz *não*, mamãe quer dizer *não*. Esse tipo de comportamento nunca vai me fazer mudar de ideia."

Esse não é o momento de iniciar uma longa conversa sobre como Deus não quer que ele aja dessa maneira, ou como Jesus está vendo, ou qualquer coisa assim. A intenção é manter as coisas o mais simples possível: esse tipo de comportamento nunca vai provocar o resultado que ele quer. *Nunca.*

Quando você se recusa a ceder, quando resiste a todas as tentativas de negociar ou debater, seu filho percebe algumas coisas bastante saudáveis. Primeiro, ele percebe que mamãe tem mente e vontade próprias; ela não pode ser manipulada ou controlada. Segundo, ele aprende que, na família, nenhum membro é mais importante do que qualquer outro. Os primogênitos em particular parecem ter dificuldades para aprender esta última lição, mas ela é fundamental.

ESTE DADO ESTÁ VICIADO

Os ataques de choro e estratégias similares são um assunto tão denso que não é surpresa que os pais fiquem tão desesperados. Mas relaxe. O único poder que seu pequeno filho tem é o poder que *você* decide conceder a ele. Pense nisto: você é mais forte, mais esperta, mais experiente, você pode ler livros para aumentar sua sabedoria e você tem a habilidade de obter conselhos junto a outras pessoas. Seu filho não tem nada disso. Tudo o que ele tem é o poder de envergonhar você ou tornar sua vida um inferno. Uma vez que você tem a capacidade de se afastar, pode remover a arma mais poderosa de seu filho.

Em outras palavras, este dado está viciado: você pode ganhar todas as vezes. Não é preciso ter medo de seu filho. Você nem mesmo precisa brigar com ele. Você pode tirar o corpo fora todas as vezes! Não negocie, não discuta. Simplesmente seja o adulto que você já é.

Você tem o poder. Use-o.

CAPÍTULO 11

É hora de falar sobre sexualidade

"Dr. Leman", você diz, "estamos falando sobre bebês e crianças de até 3 anos de idade, e o senhor quer falar sobre sexo? É sério?"

Não poderia ser mais sério. Acredite se quiser, mas o sexo é uma realidade até mesmo para crianças pequenas — não do mesmo modo como é para os adultos, é claro, mas nós, seres humanos, aprendemos bem cedo que certas partes de nosso corpo são mais agradáveis de serem tocadas do que outras. O despertamento sexual é algo que ocorre como um processo, e esse processo começa quando ainda usamos fraldas.

Os pais de primeira viagem que tentam fingir que as coisas não são assim serão pegos com a guarda baixa quando perceberem a fascinação precoce de seu filho por seus genitais. Trabalhei com uma mãe que ficou petrificada porque, certa noite, pegou sua filha de 4 anos de idade "se esfregando" com um travesseiro na frente da televisão.

"Havia algo errado com ela?", a mãe me perguntou.

Se você se surpreendeu como aquela mãe, deixe-me acalmá-la. William Friedrich, da Clínica Mayo, estudou milhares de crianças e descobriu que praticamente toda criança com menos de 5 anos foi observada tocando seus genitais. Esse comportamento pode começar já com 12 a 18 meses, e normalmente atinge o auge por volta dos 4 anos.

É compreensível. É gostoso tocar nossos genitais. O fato de aquela menina estar inconscientemente se esfregando com o travesseiro me mostra que, para ela, aquilo não era diferente de coçar a pele; ela provavelmente estava descobrindo acidentalmente que uma pressão naquela parte de seu corpo criava sensações agradáveis. Ela não sabia que não era adequado fazer um "rala e rola" no meio da sala de estar. Tudo o que ela sabia é que aquela sensação era boa.

Eu disse à mãe que ela deveria agir sem alarme ou vergonha indevidos, que levasse sua filha a um lugar privado, conversasse com ela sobre o que havia acontecido e explicasse que certas coisas devem ser feitas apenas em particular.

Outra mãe ficou assustada quando tentou tirar sua filha de 3 anos da cadeirinha do carro que tinha uma peça plástica entre as pernas da criança. Ela percebeu que a filha estava se esfregando contra o assento e rapidamente tentou tirá-la dali. Sua filha protestou: "Espere, mamãe, ainda não acabei!".[1]

O que acontece é que os pais olham para uma situação como essa e transferem emoções, culpa, motivação e sentimentos adultos para o filho. Em famílias saudáveis, onde não ocorreu abuso, a família e o lar são os lugares mais naturais para crianças aprenderem sobre seu corpo e sobre sentimentos sexuais — e aprenderem a fazer isso em um ambiente que não produza culpa ou vergonha, mas que ensine moralidade, responsabilidade e comportamento adequado.

Se seu filho sofreu abuso sexual de algum tipo, incluindo contato físico e/ou sendo apresentado a imagens sexuais não apropriadas para a idade, aconselho de maneira enfática que você busque um psicólogo que compartilhe da sua fé. Experiências precoces como essas podem ter um impacto para toda a vida de uma criança e precisam ser abordadas imediatamente, para o bem-estar da criança e da família (você também terá mais informações sobre isso na seção "Quando o abuso entra em cena", neste capítulo).

Ignorar que seu filho pequeno está se desenvolvendo sexualmente não vai fazer que isso desapareça. De fato, ter conversas sadias e apropriadas à idade vai satisfazer a curiosidade de seus filhos de tal maneira que eles terão menor probabilidade de se envolver em um jogo com parceiro ("eu lhe mostro o meu, e você me mostra o seu") e mais chances de procurarem você com outras perguntas no futuro.

USANDO OS NOMES CORRETOS

Para começar, assim que seu filho começar a dar nomes às partes do corpo, use os termos corretos para a genitália. Se o seu primogênito estiver tomando banho, você deve dizer algo assim: "Teo, este é o seu cotovelo. Você consegue dizer 'cotovelo'? Este é o seu joelho. Repita: 'joelho'. E este é o seu pênis. Vamos lá, diga 'pênis'".

Seu filho não é tão bobo quanto você pensa que ele é. Se você der o nome de todas as partes do corpo dele, com exceção de uma, ele naturalmente vai entender que existe alguma coisa... digamos, *diferente* em relação àquela parte do corpo. E, se você disser à sua filha os nomes corretos de cada órgão, exceto as regiões "particulares", ela naturalmente vai pensar: "Por que esta coisa aqui não tem um nome 'comum'? Deve haver algo errado, sujo ou proibido ligado a ela!". Esse tipo de criação de filhos, como um avestruz que enfia a cabeça no buraco, é o lugar de onde vêm a culpa e a vergonha impróprias.

Se seu filho crescer conversando com você sobre esses assuntos, você terá mais facilidade de abordá-los nos anos vindouros. Ele não crescerá pensando que certos assuntos estão "fora dos limites". Também não vai associar imediatamente a vergonha ao seu corpo. Ele estará acostumado a falar com você sobre tudo. Isso não parece bom?

Comunicação precoce e informação precisa também são ferramentas eficientes para ajudar a preservar seu filho da exploração. Quando você usa os nomes corretos e conversa sobre partes do corpo, é natural dizer que essas partes do corpo em particular não devem ser mostradas em público. "Miguel, não há problema em ficar sem roupa na banheira ou quando você está se trocando no quarto. Mas, quando você sair, precisa ter certeza de que seu pênis e seu bumbum estão cobertos."

As meninas notarão e, compreensivelmente, perguntarão por que papai pode ir à praia sem camisa e mamãe nunca faz isso. Uma explicação simples como esta vai esclarecer qualquer confusão e manterá as linhas de comunicação abertas: "Querida, as mulheres desenvolvem seios. Não, você ainda não tem, mas está vendo onde estão seus mamilos? Um dia eles vão se transformar em seios como os da mamãe. E, quando isso acontecer, você precisa mantê-los cobertos. Os seios são algo que você não deve mostrar em público".

Entende o que estou fazendo? Sem ficar envergonhado, estou usando linguagem trivial, dando informação precisa sem os exageros emocionais que nossa cultura tende a associar às questões sexuais. E, uma vez tendo feito isso, tenho um contexto no qual dizer "Ninguém, com exceção talvez do seu médico quando mamãe estiver presente, deve tocar você aqui, Mari. Não há problema quando mamãe ou papai estiverem ajudando você a se limpar, mas você não deve permitir que nenhum outro adulto ou amigo brinque com essas partes do seu corpo, ok?".

O FIM DA INOCÊNCIA

Quando você traz seu bebê para casa, não há pudores. Você trocando a fralda dele de sete a dez vezes por dia, de modo que ele fica arreganhado diante de você em todo o seu esplendor. Quando ele tem fome, você abre sua blusa e lhe oferece o peito. Isso é natural e saudável, uma parte da vida.

Você também pode achar que uma das maneiras mais fáceis de fazer as crianças tomarem banho é que um dos pais entre no chuveiro ou na banheira com eles. Quando eu era um jovem pai, lembro-me de ter tomado banho com minhas duas filhas mais velhas. Elas se sentavam atrás de mim, e eu fingia que jogava água nelas, o que, é claro, as fazia gritar. Então, fingia que havia me esquecido de que elas estavam ali, ciente de que era apenas uma questão de tempo antes que um copo de água fria fosse derramado sobre minha cabeça.

Chega uma época, porém, em que esse tipo de atividade não é mais adequado. Se estiver em dúvida, apele para o recato. Normalmente um dos cônjuges tem uma visão diferente em relação aos níveis de privacidade, e você provavelmente vai se sair melhor se seguir os sentimentos do cônjuge mais conservador em relação a isso. Quando as crianças têm entre 3 e 4 anos, elas não sabem muita coisa e não perceberão muito, mas aos 5 anos você certamente precisará começar a diminuir o tom.

Quando uma mãe começa a me fazer perguntas sobre isso, gosto de lhe dizer que sua pergunta é sua resposta. O simples fato de que ela se sente cada vez mais desconfortável ao ficar nua na frente de seu filho me diz que chegou a hora de ela se cobrir. Se você se sentir desconfortável ao se despir na frente de seu filho, então não o faça. Defina alguns limites em sua casa. Ensine a seus filhos que eles só devem entrar em seu quarto depois de bater na porta e, então, dê o exemplo fazendo a mesma coisa quando quiser entrar no quarto deles ou no banheiro.

Mas, por favor, não cometa o erro que muitos pais cometem nesta fase. Eles se despem na frente de seus filhos, deixam a criança andar sem roupa e, então, chega uma data arbitrária em que isso não é mais permitido e, de modo repentino, baixam o decreto. Separe um tempo para treinar seu filho com ensinamento gentil, e gradualmente trabalhe na direção de um recato apropriado. Repreensão instantânea não é treinamento; seu filho está se movendo da exposição plena para a privacidade adequada. Intuitivamente, ele sente que isso é um "passo para trás" em relação ao acesso que tem a você, e pode se ressentir — especialmente se vir o filho número dois tomando banho com você ou sendo amamentado à noite.

A SEXUALIDADE VISTA COMO ALGO NATURAL

As crianças não serão curiosas apenas com o próprio corpo; elas também terão curiosidade em relação ao corpo de seus amigos. A resposta é não manter seus filhos na escuridão, mas encontrar maneiras apropriadas de discutir anatomia básica.

Se você pegar seu filho pequeno numa situação na qual ele ou ela estiver olhando os genitais de outra criança, ou talvez até mesmo tocando-os, não exagere na reação. Por mais assustador que isso possa ser para adultos, essa é uma atividade bastante normal. Contudo, não significa que isso seja algo que você queira tolerar. Com calma, traga seu filho para perto de você e explique o que é apropriado e o que não é; use o momento como uma oportunidade para ensinar, em vez de gritar ou exagerar na reação.

"Jéssica, o corpo é uma criação de Deus, e Deus nos diz que não devemos deixar outra pessoa tocar nossas partes íntimas como esta, a não ser que estejamos casados com essa pessoa."

A brincadeira sexual baseada em curiosidade não é um indicador prematuro de que temos um predador sexual nem revela qualquer orientação sexual em particular. Algumas crianças são apenas mais curiosas que outras. Tenha muito cuidado para não colorir as ações de uma criança pequena com as motivações de um adulto.

Se o toque não foi consensual, a questão se torna um pouco mais séria. Você precisa ter uma conversa franca com os pais da outra criança. Se foi seu filho ou filha quem forçou as coisas, você precisará estabelecer orientações claras sobre o comportamento apropriado. Caso o comportamento impróprio persista, você deve buscar aconselhamento.

Como descobrir quem estava "consentindo" e quem estava forçando? Simplesmente pergunte! As crianças nessa idade tendem a ser bastante claras e honestas, contanto que o pai que pergunta não aparente estar em pânico ou fora de si. Se você conseguir manter sua compostura por tempo suficiente para perguntar o que realmente está acontecendo, as crianças muito provavelmente lhe darão um relato bastante preciso do que aconteceu.

Quando o filho número dois chegar, você pode usar a troca de fraldas como uma oportunidade para, de maneira saudável, iniciar algumas dessas conversas. Ajudar com a troca de fraldas vai responder a algumas curiosidades naturais de seu primogênito. Também existem livros de imagens, escritos para crianças, que você pode usar. Sande, minha esposa, gosta muito do livro *Mommy Laid an Egg*, de Babette Cole.

IMAGINAÇÃO CORRENDO À SOLTA

Em 50% do tempo, as crianças pequenas ainda têm a cabeça permeada por fantasias; à medida que você as treinar para que respeitem seu corpo e o corpo de outras crianças, lembre-se de que elas podem fazer todo tipo de interpretação.

É por isso que recomendo enfaticamente que você forneça informação bastante precisa e adequada à faixa etária.

Eu estava certa vez na casa de um amigo cujo filho pequeno passava por essa fase da fantasia. Seus pais haviam conversado com ele sobre a importância de fechar a porta do banheiro e respeitar a privacidade, mas, ao que parece, eles não foram suficientemente explícitos sobre a razão pela qual a porta deveria ser fechada.

No meio daquela visita eu precisei usar o banheiro. Infelizmente, a casa tinha apenas um, e a porta estava trancada. Esperei cinco minutos ou mais e verifiquei de novo a porta. Ela ainda estava trancada e tudo parecia muito quieto lá dentro. Voltei para a sala de estar e comecei a contar as pessoas para ver quem estava faltando.

Todo mundo estava presente.

Naquele momento, minha necessidade havia deixado de ser facultativa e começava a se tornar crítica. Alguém havia trancado a porta do banheiro, e eu precisava entrar.

Sendo o psicólogo que sou, percebi a face do menino e vi a resposta escrita por toda ela.

— Andy, você estava no banheiro? — perguntei.
— Não — disse ele.
— Você trancou a porta? — perguntei.
— Sim — admitiu ele.
— Por que você trancou a porta? Há alguém lá dentro?
— Sim.
— Quem é?
— O grande lobo mau está lá. Mamãe disse que eu preciso deixá-lo trancado.

Conseguimos abrir a porta e, depois de eu cuidar das minhas coisas, compartilhei minha conversa com a mãe de Andy; ela achou tudo muito engraçado. Isso certamente destaca a necessidade de entender que este mundo é um lugar grande e confuso para crianças pequenas. Elas vão pegar a história que acabaram de ouvir, um fragmento de uma conversa, e juntarão todo tipo de coisas.

É por isso que o treinamento, em especial nesta área, precisa ser visto como um processo brando. Não gosto da ideia de ter "a conversa", porque uma conversa nunca é suficiente. A sexualidade é uma questão grande demais para investigar e resumir em uma única conversa. Na situação ideal, você terá um diálogo constante com seu filho por toda a vida dele, tornando-se cada vez mais explícito à medida que seu filho fica mais velho.

Comece cedo e de maneira adequada. Sirva de modelo de bom comportamento e você estará no caminho certo para criar uma criança saudável e bem ajustada no aspecto sexual.

QUANDO O ABUSO ENTRA EM CENA

Por mais que qualquer um de nós odeie falar sobre abuso, esta é uma parte triste e feia de nosso mundo pecaminoso. As crianças sofrem abuso físico, emocional, verbal e sexual todos os dias em todo canto do país. Para nos atermos aos propósitos deste capítulo sobre sexualidade, falaremos apenas sobre o abuso sexual.

Qualquer toque dentro da área coberta pelas roupas de baixo por alguém que não tenha razão para tocar caracteriza abuso sexual, que também inclui a exibição de imagens ou envolvimento em conversas impróprias para a idade. Qualquer conversa com uma criança pequena sobre sexualidade por parte de outra pessoa que não os pais é imprópria.

É importante fazer uma distinção entre diferentes tipos de toque, a fim de não gerar confusão: "Querido, não há problema se papai ou mamãe tocarem você quando estão lhe dando banho, nem quando o médico estiver fazendo um exame físico. Mamãe estará na sala com você, por isso você saberá que está tudo bem. Esse tipo de toque é necessário. Mas ninguém — tio, irmão, amigo da família, professora, qualquer pessoa — deve tocar você nas áreas em que a roupa de baixo cobre seu corpo. Se alguém tentar fazer isso, quero que você conte à mamãe imediatamente. Se ameaçarem você caso você conte, não se preocupe. Você me conta mesmo assim, e vou garantir que você esteja seguro."

Pessoalmente, creio que uma conversa como essa é menos importante do que proteger seu filho. Sei que isso parece controverso, mas preste atenção. Creio que você *nunca* deve colocar seu filho numa situação em que haja nem mesmo a mais remota chance de esse tipo de atividade acontecer. Alguns pais, de forma imprudente, permitem que seu filho permaneça em lugares que não tenham sido verificados cuidadosamente.

Eu não deixaria nossos filhos com nenhuma babá em quem não confiasse demais. Não os deixaria num ambiente de igreja no qual não houvesse controle adequado — uma área aberta, sem cantos escondidos e cuidado de confiança. Eu simplesmente não faria isso. E, se eu tivesse qualquer suspeita que fosse sobre quaisquer parentes, eles não ficariam na mesma sala com um filho ou filha meus, quanto mais sozinhos.

Se eu fizer o meu trabalho, as chances de um de meus filhos ser molestado desaparecem. É quando permitimos que nossos filhos vagueiem livremente ou que se coloquem em situações onde não sejam supervisionados de modo adequado que surgem os problemas. Dê-me apenas uma boa razão para que seu filho de 3 ou 4 anos esteja em algum lugar sem supervisão dos pais. Não consigo pensar em nenhuma!

Fiquei sabendo que alguns pais organizam pernoites para crianças de 5 anos de idade. Não há como você encontrar um Leman em uma coisa dessas. Como conselheiro, já ouvi as histórias. Você tem ideia do que está fornecendo a um pedófilo casado (e muitos pedófilos *são* casados) quando enche uma casa de meninas de 5 anos? Você nunca ouviu falar de câmeras ou de atos físicos, que são ainda piores?

Caso sua filha seja muito pequena para se defender sozinha, então ela é muito pequena para ser colocada numa situação na qual esteja vulnerável. Você não pode pedir para uma criança de 5 anos de idade competir com um homem de 50; portanto, você não deve colocar sua filha numa situação dessas.

Se, apesar de seus maiores esforços, o abuso de fato ocorrer, você precisa procurar um profissional que tenha trabalhado com crianças nessa área. Eu gostaria de poder lhe apresentar cinco passos fáceis, mas isso estaria beirando a negligência profissional e, de qualquer forma, o contexto deste livro não é apropriado para isso. Uma discussão completa sobre este tema justificaria pelo menos um capítulo inteiro, senão todo um livro.

Sendo assim, resumidamente, aqui vai o meu conselho: tenha uma conversa curta com seu filho, mas se concentre ainda mais no cuidado preventivo. Nunca coloque qualquer um de seus filhos numa situação na qual haja a mais remota possibilidade de molestamento sexual.

CONCENTRANDO-SE EM SEU OBJETIVO

Quando foi que você aprendeu sobre sexualidade? Se é como 90% de nós, você aprendeu sobre sexo numa situação cercada pela culpa. Talvez você tenha sofrido abuso. Talvez tenha compartilhado um livro "sujo" que circulou entre os amigos da escola. Talvez você tivesse ideias tolas das quais ri agora.

O percentual de crianças que recebem de seus pais informação sadia, precisa e adequada à idade sobre sexualidade é ridiculamente pequeno. Por que não decidir agora mesmo dar um presente desses a seu filho ou filha? Por que não deixar que seu filho se beneficie do fato de ser apresentado à sexualidade em um ambiente saudável, seguro e sem culpa?

Já surpreendi muitas pessoas ao dizer que o pai do sexo oposto deve ser o principal educador sexual. Mamãe, se você tem um filho, deve ser a principal educadora nessa questão. Papai, se você tem uma filha, é seu trabalho ensiná-la corretamente sobre os fatos da vida. Há exceções — por exemplo, quando se trata da higiene em razão da primeira menstruação de uma moça, creio que é simplesmente natural que a mãe assuma a liderança. Mas, quando se trata de ajudar uma criança a entender os mistérios da sexualidade, quem é melhor do que papai para dizer à filha o que um rapaz está realmente pensando durante um encontro? Quem é melhor do que mamãe para dizer a um rapaz que as meninas realmente não acham nada legal um rapaz tentar impressioná-la ridicularizando-a?

O que acontece quando o progenitor do mesmo sexo promove o ensinamento é que todo tipo de informação imprecisa é passada adiante. Como conselheiro, já perdi a conta das tantas vezes em que tive de engolir uma boa gargalhada à medida que uma mulher descreve para mim a "conversa" que teve com sua mãe uma noite antes da lua de mel.

Seu objetivo é criar uma criança que seja moralmente casta, mas educada e informada, reconhecendo o sexo como um maravilhoso presente de Deus que só é apropriado dentro de um relacionamento conjugal. Imagine a alegria no seu coração por pensar sobre o dia em que seu jovem filho ou filha se casar. Você sabe que eles terão se preservado puros para a noite de núpcias e que terão aprendido sobre sexo num ambiente livre de culpa, reconhecendo-o como um presente dado por Deus. Esse é um tesouro muito raro e precioso a ser dado ao seu filho, e peço que você entenda uma coisa: um começo tão bom como esse ajudará seu filho a evitar muitas das frustrações sexuais mais comuns dentro do casamento.

Esse tipo de treinamento exigirá tempo e energia. E você precisará trabalhar, a despeito de sua própria vergonha — especialmente se você cresceu num lar onde não se falava abertamente sobre o sexo ou as partes íntimas do corpo. Mas, se você aceitar o desafio, algum dia seu filho vai realmente lhe agradecer.

CAPÍTULO 12

Há um extraterrestre a caminho de casa

Vamos fazer uma brincadeira por um instante. Vamos imaginar que seu marido chega em casa hoje à noite e diz a você: "Querida, você sabe que a amo além da conta. Amo tanto você quanto é possível a uma pessoa amar. De fato, amo você de tal maneira que acho que gostaria de ter duas esposas. Isso não seria maravilhoso?

"Sei que você pode achar que estou falando como um louco, mas pense nisto. Existe aquela mulher lá do trabalho. Ela é tão doce e atenciosa. Todos a amam, por isso sei que você também vai gostar dela. Isso sem falar na aparência! Ela é tão bonita! Tem as covinhas mais lindas que já vi. Você não me disse que sempre gostou de ruivas? Você vai simplesmente amar os cabelos dela.

"Vocês duas poderão compartilhar o serviço de casa, ir às compras juntas e, quando eu estiver fora da cidade, talvez até possam ir ao cinema juntas. Isso não lhe parece bom?"

Seu queixo já caiu no chão e, então, seu marido pergunta: "E aí, querida, o que você acha?".

Se você é como a maioria das mulheres, assim que seu marido começou a falar essas coisas, você pensou: "Onde é mesmo que ele guarda a espingarda?".

Agora, coloque-se no lugar de um primogênito de 2 anos e meio de idade. Durante quase três anos, a pequena princesa reinou como Sua Majestade, a Rainha. Ela teve toda a sua atenção; não tinha de compartilhar você com ninguém. Além do mais, ela pode se divertir com seus brinquedos a qualquer momento sem ter de se preocupar com a intromissão de ninguém. Ela gosta das coisas do jeito que estão.

Um dia, porém, você chega em casa e diz: "Querida, amamos tanto você que decidimos ter um segundo filho. Não será legal? Você terá um irmão ou irmã com quem brincar!".

Em sua mente infantil, ela está pensando que a principal pessoa que cuida dela acabou de lhe dizer que ela não é boa o suficiente. Eu sei que você não lhe disse isso, mas é assim que sua filha vai interpretar: "Por que eles precisam de outra criança? Eles já têm a mim! Não sou boa o suficiente?".

Antes que você comece a pensar em quão tolo é tudo isso, lembre-se da história do início do capítulo: se o seu marido quisesse trazer outra esposa para casa, você não pensaria que, de maneira indireta, ele estava dizendo que você não é boa o suficiente para ele?

Os primogênitos nunca se livram disso. Certa vez, quando Holly tinha seus 20 e poucos anos, Sande e eu a levamos para jantar e, depois, nós três fomos ao cinema juntos. Por todo o tempo éramos apenas eu, Sande e Holly. Foi muito bom e, no final da noite, Holly olhou para nós e disse: "Sabe, as coisas deveriam ter sido sempre assim".

PELOS OLHOS DE SEU FILHO

Seu primeiro passo ao dar essa notícia extraordinária sobre a iminente chegada de um novo irmão e, mais uma vez, quando trouxer o filho número dois para casa vindo do hospital, é se colocar por trás dos olhos de seu primogênito. Seu filho — ainda com menos de 1 metro de altura e desfrutando de cada centímetro da vida como ela é — está prestes a receber uma bola cheia de efeito e velocidade. Se isso não for tratado de maneira adequada, você pode provocar uma briga que fará a história de Caim e Abel parecer um passeio no parque.

Dê um passo para trás, imagine como tem sido a vida para você e seu primogênito e você verá por que chamei este capítulo de "Há um extraterrestre a caminho de casa". Se seu primogênito pudesse acessar a internet, ele se sentiria tentado a comprar um daqueles capachos modernos que vi certa vez. Em vez de "Bem-vindo!", estava escrito: "Vá embora!". Na mente de seu filho, o quintal está prestes a ser invadido por um extraterrestre.

Mas, se usarmos a cabeça como pais, podemos ensinar essa criança a admitir sem muita tensão o "pequeno imigrante". Veja a seguir algumas sugestões para facilitar a transição.

DIFERENÇA DE IDADE

Para começar, considere cuidadosamente o intervalo de idade que você pretende estabelecer entre seus filhos. Eu sei, eu sei — a reprodução não é uma ciência exata; nem sempre é possível determinar quando e com que frequência alguém terá filhos. Mas, dentro daquilo que você é capaz, ao pensar em aumentar a família tenha em mente que filhos com menos de dois anos de diferença de idade tendem a competir mais um com o outro. Para piorar as coisas, uma mãe que tenha dois filhos com idade abaixo de 3 anos ficará sem energia seis dias por semana. Tudo o que ela fará será tentar chegar ao final do dia e deitar-se exausta na cama (para ouvir do marido "Você está se sentindo tão quente quanto eu?"). Quando o segundo filho chega apenas dezoito a vinte e quatro meses depois do filho número um, tudo pode parecer uma praga dupla. Mamãe está quase conseguindo recuperar o fôlego quando... *bum*! Se ela der à luz este filho, seu corpo estará mais uma vez exausto, literalmente cozinhando um ser humano completamente novo — só que, agora, ela não está apenas grávida, mas está grávida e tem um filho pequeno! Se adotar esta criança, seu tempo, sua energia e suas emoções estarão mais uma vez presos a coisas como papelada, estresse de ter de atualizar sua avaliação como candidata a adoção, coleta de impressões digitais na hora do almoço, isso para citar apenas alguns itens da lista.

Sendo bastante franco, essa é uma das razões pelas quais esta obra é escrita para mães de primeira viagem. Quando o filho número dois chegar, talvez você não tenha tempo de ler nenhum livro como este. Os únicos livros nos quais você vai pôr a mão serão aqueles que vai atirar no cachorro que a está deixando louca ou em qualquer outro ser que cruze seu caminho com muita frequência!

Na minha visão, o intervalo ideal entre os filhos é de cerca de três anos. Algumas de vocês podem se sentir tentadas a perguntar: "Mas qual é a diferença entre dois anos e três anos?". Bem, faça as contas. A diferença entre dois anos e três anos entre os irmãos significa 50% da vida do filho mais velho!

Com um intervalo de três ou quatro anos, é um pouco mais fácil anunciar a chegada da criança número dois. Seu primogênito está mais velho e mais capacitado para aceitar rótulos como "irmão maior" em vez de "principal concorrente".

DANDO A NOTÍCIA

Pessoas diferentes têm sentimentos diferentes acerca de quando contar ao primogênito sobre a iminente chegada do filho número dois. Há quem goste de esperar o maior tempo possível, ou ao menos calar-se pelos três primeiros meses, como precaução, antes que haja um aborto, alguma outra dificuldade que seja difícil de explicar ou uma mudança na papelada do filho a ser adotado. Se você estiver grávida, esse é um segredo difícil de ocultar de uma criança curiosa que segue você o dia inteiro. Essa criança pode escutar você falando ao telefone com sua mãe ou sua amiga, ou entreouvir papai e mamãe conversando na sala.

Quando você vai contar ao seu filho é uma questão de preferência pessoal, mas realmente creio que, no caso de você estar grávida, é sábio contar assim que a barriga começar a aparecer. Uma mulher visivelmente grávida vai atrair todo tipo de comentário por onde ela for: "Ah, você está grávida! Para quando é?".

Um estranho bastante amigável pode até mesmo tentar atrair seu filho para a conversa: "Veja só; você vai ganhar um irmãozinho ou uma irmãzinha! Você está feliz?".

Você não quer que seu filho descubra tal transição dessa maneira, não é? Então, seja qual for a data que escolher, certifique-se de que seja antes de a barriga começar a aparecer. Se você está no processo de adoção, não espere até o último dia antes de compartilhar essa alegria com seu filho. Torne-o parte do processo, mesmo com seus altos e baixos.

Se você estiver grávida, ao conversar com o filho mais velho pode começar lendo um livro que fale sobre como os bebês nascem e, então, dizer:

— Querido, você sabe que sua amiga Laura tem um irmãozinho?
— Sim.
— Bem, adivinhe só!
— O quê?
— Não, quero que você adivinhe. Uma coisa maravilhosa está acontecendo na nossa família.
— Vamos para a Disney?
— Não, não vamos para a Disney.
— Você vai me dar um presente?
— Não, não vamos lhe dar um presente, mas vamos receber uma coisa.
— O quê?
— Quer que lhe dê uma dica?
— Sim.
— Coloque a mão na barriga da mamãe. (Pegue a mão do seu primogênito e coloque-a sobre seu estômago.) — Está vendo como a barriga da mamãe está crescendo?
— Parece um pouco mais dura.

— Isso mesmo. Você sabe por que ela está ficando maior e mais dura?
— Não. (O primogênito ri.)
— Você acha que é porque a mamãe está criando uma melancia?
— Nããão.
— O que você acha que está na barriga da mamãe, ficando maior a cada dia?
— Um bebê.
— Isso mesmo, um bebê! Mamãe vai ganhar um bebê. Isso significa que você terá um irmãozinho ou uma irmãzinha.

Se você estiver no processo de adoção, a conversa pode ser assim:
— Querida, você sabe que a sua amiga Carol tem uma irmãzinha?
— Sim.
— Bem, adivinhe só!
— O quê?
— Lembra-se de quando fomos até a China para pegar você, porque amamos você e queríamos que fizesse parte da família?
— Sim.
— Lembra-se de todas aquelas fotos que vimos de outros bebês da China?
— Os bebês que não têm papai nem mamãe?
— Sim, aqueles bebês muito especiais. Adivinhe!
— O que, Mamãe?
— Nós todos, você, papai e mamãe, vamos para a China outra vez! E voltaremos para casa com um novo bebê, que será sua irmã. Ela vai ser bem pequena, como você era. E você vai poder segurá-la. Todos nós vamos amá-la tanto quanto amamos você. Queremos tê-la aqui em casa assim como queríamos que você fizesse parte da nossa família. Na verdade, daqui a pouco tempo, vamos receber uma foto dela — igual à que recebemos de você!
— Você ainda vai me amar, mamãe?
— Querida, sempre amaremos você — como sempre amamos. Você é nossa menina preciosa.

Você deve se concentrar em descrever uma parte natural da vida, sem cair no erro da comparação sobre a qual conversamos antes, quando usamos o exemplo do marido que diz à esposa que vai trazer outra mulher para casa. Além disso, você precisa ficar bastante calma. As crianças são bastante intuitivas; elas conseguem ler suas emoções e especialmente sua tensão tão logo você demonstre o menor grau de nervosismo. Se você ficar nervosa, seu primogênito vai pensar que deve ficar nervoso também. "Talvez isso seja mais grave do que o que a mamãe está dizendo", ele pode pensar.

Portanto, faça disso um momento agradável, e não se surpreenda se você ouvir de seu primogênito coisas como: "Podemos devolver o bebê se não gostarmos dele?" ou "Podemos trocar por um menino se for uma menina?".

DEPOIS DE TER DADO A NOTÍCIA

Assim que você der a notícia, leve seu filho com você a uma das consultas do pré-natal. Deixe que ele ouça o coração do bebê e fale sobre a razão de a mamãe estar ficando mais pesada e grande. Use essa experiência como uma grande oportunidade natural de falar sobre o milagre do nascimento. Se você está adotando, leve seu primogênito (se for possível e se as regras permitirem) a algumas de suas reuniões com o órgão de adoção ou com a mãe biológica. Mexa com os papéis quando seu primogênito estiver por perto. Se ele também for uma criança adotada, é um ótimo momento para dizer isto: "Fizemos tudo isso para ter você também, porque amamos você. E, agora, estamos fazendo tudo de novo para a sua irmã".

Quatro ou cinco meses é tempo suficiente para uma criança se ajustar, se você quiser esperar todo esse tempo. Não é necessário apressar essa conversa em favor do seu filho; lembre-se de que os nove meses necessários para o crescimento do bebê representam 25% do tempo de vida de uma criança de 3 anos de idade — e, em alguns processos de adoção, esse percentual é ainda maior.

ASSIM QUE O EXTRATERRESTRE CHEGAR EM CASA

Vamos voltar à nossa história. Digamos que, apesar de todos os seus protestos, seu marido de fato trouxe a ruiva para casa. Imagine que, louco de amor por ela, ele diz o seguinte:

"Oh, querida, veja só, que dedos pequenos e que pés! Note como ela fica linda usando esses brincos maravilhosos, e com esse rostinho tão pequeno! Ela não tem aqueles joelhos gordinhos que você tinha na idade dela, e olhe: não tem pés de galinha ao redor dos olhos! Lembra-se quando você não tinha pés de galinha? Ah, você não a adora? Não fica com vontade de mordê-la?". Então, ele começa a beijar todo o rosto da tal mulher.

Mais uma vez, é exatamente isso o que acontece a tantos primogênitos. O bebê é trazido para casa e todo mundo está de olho no pequeno. Mamãe não para de falar sobre seu cabelo, seus dedos dos pés e das mãos e, pior, até mesmo compara tudo com o primogênito: "Puxa, as bochechas dele não são tão gordas como eram as de Melissa. Lembra-se das bochechas gordas da Mel?".

Nesse momento, Melissa está pensando que há algo errado com ela e, então, tem de ficar olhando enquanto sua mãe, encantada, beija os dedos, a face e a barriga do bebê — do mesmo modo que costumava beijar os dedos, a face e a barriga da primogênita.

Ao receber toda essa atenção, o seu bebê não faz ideia do que está acontecendo, mas seu primogênito, aquele que está sendo rejeitado, jamais teve tamanha consciência do que acontece à sua volta. E isso é algo de que você precisa estar bastante consciente antes de trazer o filho número dois para casa. Seria bom se marido e esposa (ou, no caso de pais solteiros, o pai, o avô ou um bom amigo) pudessem "trabalhar em equipe" — mostrando atenção ao primogênito para facilitar sua passagem por essa experiência. Também é uma grande ideia dar ao primogênito um presente, uma vez que o bebê também receberá muitos presentes.

Espere alguma hesitação e perguntas estranhas. Já ouvi irmãos na faixa dos 3 anos perguntarem: "Nós *realmente* vamos ficar com ele?", com uma expressão de horror no rosto. Repito: você precisa se esforçar para tentar enxergar as coisas pelos olhos de seu primogênito. Essa será uma grande mudança na vida dele; então, por favor, não lhe peça que simplesmente aceite isso sem que você reserve tempo para explicações.

Uma das melhores coisas que você pode fazer, agora e no futuro, é cortar discussões sobre o que é e o que não é justo e conversas sobre tratar todos da mesma forma. É muito importante que as crianças aprendam logo cedo que as pessoas não serão todas tratadas da mesma forma. Essa é a causa de metade das brigas entre irmãos — de Caim e Abel à dupla dos Smothers Brothers.[1] Seu trabalho como mãe é explicar por que as crianças não podem e não serão tratadas da mesma maneira.

— Querido, vou tratar você de maneira diferente porque a Aninha é apenas um bebê, e você não é mais bebê. Você é um menino grande. Você pode ficar acordado até as 20h30, mas a Aninha precisa ir para a cama às 19h30. Os bebês também não conseguem assistir à televisão, não é?

— Não.

— Ela consegue fazer brincadeiras com a mamãe?

— Não.

— É, ela não consegue. Podemos dar pipoca ao bebê?

— Nãããão.

— Isso mesmo, os bebês não comem pipoca.

Esta mãe está defendendo a ideia de que o pequeno primogênito ainda é especial e que as duas crianças precisam ser tratadas de maneira diferente. Com mais maturidade surgem maiores privilégios e maior responsabilidade.

Seja dramática! Levante as duas mãos e diga: "Querida, você consegue contar o número de vezes que um bebê dorme em um único dia? Conte junto comigo: uma, duas, três, quatro, cinco, seis, sete. Isso mesmo. O bebê precisa tirar sete sonecas por dia! Mas você já é uma menina grande. Quantas sonecas você tira?".

Também é mais fácil se a criança número dois for de gênero diferente da criança número um, pois, assim, talvez não lutem tanto pelo papel de primogênito. De fato, ambas podem desenvolver algumas tendências de primogênito, ainda que uma tenha personalidade bastante diferente em relação à outra (uma mais introvertida e outra mais extrovertida, por exemplo).

O ponto central de todo esse processo reside em conversar com o primogênito e mostrar-lhe que cada membro da família é tratado de maneira diferente. Isso é fácil de fazer se o intervalo entre os filhos for de três ou quatro anos. É muito mais difícil se o intervalo for de dezoito meses ou menos — especialmente se, ao crescer, a criança número dois ficar maior ou mais esperta.

Envolva o primogênito no cuidado diário do bebê. Ele pode pegar uma fralda limpa ou o mordedor. Pode aprender onde ficam os babadores. Com um pouco de orientação, uma criança de 3 anos pode até mesmo colocar talco no bumbum do bebê (mas não a deixe sozinha, a não ser que você queira que o bebê se pareça com o fantasma Gasparzinho).

DOIS BEBÊS

Não estou falando de gêmeos (muito embora, se você tem gêmeos, Deus a abençoe em sua dupla dose de exaustão!) quando menciono que você pode descobrir rapidamente que tem dois bebês sob seus cuidados. Os primogênitos, particularmente os mais novos, podem regredir em seu desenvolvimento logo depois da chegada do filho número dois. Não se surpreenda se isso acontecer em sua casa.

Uma menina que foi treinada a usar o penico de repente vai começar a ter episódios infelizes diariamente. Um menino que não tocou na chupeta nos últimos nove meses pode de repente implorar por ela — e você lá, revirando gavetas, tentando encontrar aquela coisa estúpida. Uma criança que foi desmamada e está comendo alimentos sólidos pode pedir a você que volte a alimentá-la no peito.

Esse comportamento é normal. Nem toda criança passa por ele, mas, uma vez que quase metade das crianças mostra algum sinal de regressão, nós, psicólogos, vemos isso como um rito de passagem normal que os primogênitos usam para lidar com o estresse de ter um irmão. Independentemente do que você faça, é fisicamente impossível dar ao filho número um a mesma quantidade de atenção dada antes de trazer a criança número dois para casa. Você participou da grande corrida outra vez e agora tem um bebê para cuidar.

Portanto, dê um desconto; seu filho está tentando lidar com a situação. Se o seu filho de 3 anos — ou até mesmo de 3 — quiser mamar de novo, deixe, pois ele provavelmente fará isso apenas uma vez. Se quiser a chupeta, dê-lhe a chupeta. Esse é um período estressante, e você precisa ceder um pouco.

Os comportamentos regressivos mais problemáticos são os que envolvem a demanda por atenção. Bem na hora em que você mais precisa da ajuda dele, seu primogênito pode mudar seus hábitos para fazer você dar atenção a ele. Ele fará uma bagunça no banheiro, vai pescar no aquário, abrir a lata de biscoitos e deixar migalhas para todo lado, tentar jogar o gato na piscina etc. Você vai ficar surpresa ao notar quão criativo um primogênito pode ser para chamar sua atenção.

Uma vez que o novo bebê é tão indefeso, seu primogênito logo aprenderá que a melhor maneira de chamar sua atenção é criando uma emergência. Ele sabe que, se não fizer isso, ouvirá você dizer "Oh, querido, espere só um instante até que eu ponha o bebê para dormir". Sua primogênita sabe que, se puder criar uma situação de risco de vida para si mesma ou para o animal de estimação da família, você colocará o bebê no berço e virá correndo.

Se uma criança mais velha tenta descarregar seu estresse sobre o bebê, batendo no irmão ou mordendo-o, saiba que seu primogênito está sofrendo de um caso agudo de destronamento. Ele acha que mamãe não lhe reserva mais beijos ou abraços. Isso normalmente pode ser resolvido de maneira indireta, com uma simples garantia por parte da mamãe de que sempre haverá beijos suficientes, que o amor da mamãe não poderia ser maior do que é.

Quando houver um caso real de agressão física, retire o primogênito de cena e mande-o para uma área de castigo. Com um olhar sério, diga que mamãe não está feliz com ele. Depois das inevitáveis lágrimas e de abraços de apoio, repita as afirmações sobre as quais acabamos de falar. Você precisa entender a psicologia do que está acontecendo: quando uma criança é tirada de cena, ela é isolada de sua mamãe. E adivinhe quem está com a mamãe? O extraterrestre! O primogênito percebe que seu plano deu errado. Em vez de erguer um muro entre a mamãe e o bebê, ele construiu uma parede entre a mamãe e ele mesmo! Ele vai entender isso bem rápido.

É realmente importante que você converse com seu primogênito sobre o desejo que ele tem de chamar atenção. Tenha uma conversa que siga mais ou menos este rumo:

— Querido, todo mundo gosta de receber atenção. Eu gosto quando papai me beija, quando me traz flores e me abraça ao chegar em casa. Você não gosta quando papai lhe dá um grande abraço e um beijo ao chegar do trabalho?
— Sim.
— A atenção é uma coisa maravilhosa, não é? Mas sabe de uma coisa? Há um outro tipo de atenção que não é tão maravilhoso. Você sabe qual é?
— Atenção ruim?
— Mais ou menos. O tipo de atenção que é negativa — quando gritam com você, quando você faz alguma malcriação e deixa mamãe e papai muito irritados. Esse é um tipo negativo de atenção. Você gosta disso?
— Não. Não muito.
— Quais são as coisas que as crianças fazem e que por isso recebem atenção negativa?
— Bater no bebê.
— Sim, essa é uma delas.
— Puxar a cauda do cachorro.
— Essa é outra.
— Jogar o peixe na privada.
— Isso também provocaria atenção negativa, não é? É esse tipo de atenção que você quer, o tipo que deixa Mamãe e Papai bravos com você?
— Não.
— Eu sabia que não.

APRESENTE SEU FILHO A SITUAÇÕES REAIS

Dê continuidade à conversa, usando situações reais relacionadas a coisas que seu filho tentou fazer com o objetivo de chamar sua atenção:

"Quando você vê a mamãe tentando fazer o bebê arrotar e você bate o pé e se joga no chão, pode conseguir minha atenção, mas essa é uma atenção *negativa*. Sabe, eu preciso cuidar do bebê assim como cuidava de você quando era pequeno. Eu lhe dava de mamar, trocava suas fraldas, colocava você para arrotar e o embalava até você dormir, do mesmo jeito que faço com o bebê. Por isso, às vezes você precisa apenas esperar até que eu consiga saber do que precisa".

Outra boa estratégia é satisfazer a necessidade de atenção do seu primogênito convidando-o a ajudá-la com o bebê. Sim, eu sei que você pode fazer tudo mais rápido e com mais perfeição sem essa "ajuda", mas ele precisa estar envolvido.

"Querida, deixe-me mostrar-lhe como um bebê arrota e como eles precisam de ajuda. Aqui, coloque uma fralda sobre seu ombro e agora segure sua irmã. Cuidado! Você precisa apoiar a cabeça dela. Certo. Agora, vamos dar uns tapinhas leves nas costas dela, assim. Muito bem!

"Opa! Você ouviu isso? Ela arrotou. Conseguimos uma pequena bolha. Agora podemos deitar a bebê, e ela vai dormir. Por que você não pega um de seus livros de história para que mamãe leia para você assim que colocar a bebê no berço?"

Penso que é melhor ignorar o comportamento regressivo no início e não lhe dar muita importância; afinal, não passa de uma maneira de seu primogênito lidar psicologicamente com o que, para ele, é um momento muito traumático. Se você optar por rejeitar essa atitude, provavelmente perderá a cabeça. Contudo, se o comportamento continuar, ou se a criança estiver constantemente criando atenção negativa, uma palavra firme ajuda. Você precisa comunicar ao seu filho de 3 ou 4 anos: "Ei, espere um pouco, você é o mocinho da mamãe, não um bebê. Você pode esperar enquanto a mamãe cuida desta fralda suja".

Se o primogênito não parar, então é hora de aplicar disciplina — colocá-lo na cadeira da reflexão ou em outro quarto é o mais apropriado a fazer nessa idade. Minha ação favorita é pegar a criança e retirá-la de cena. Caso ela não deixe você alimentar ou limpar o bebê, leve-a para o quarto dela e feche a porta. Diga-lhe: "Se você não deixar mamãe fazer o que ela precisa fazer, você não poderá ficar ao lado da mamãe agora. Voltarei e pegarei você quando eu estiver livre". Assim que seu filho perceber que fazer malcriação gera menos atenção — ou até mesmo, ocasionalmente, confinamento solitário —, grande parte desse comportamento regressivo vai cessar. No início, pode ser que ele grite como louco, mas lembre-se: é bom ter uma criança chateada com você de vez em quando.

"UM" É O NÚMERO MAIS SOLITÁRIO

Posso imaginar algumas de vocês dizendo: "Por que me importar em ter dois ou mais filhos se a chegada de um novo bebê é um evento tão traumático para o primogênito? Nas gerações anteriores, não se via muitas famílias com apenas um filho, mas agora isso é cada vez mais comum".

É possível que a melhor razão que eu possa lhe dar para ter mais de um filho venha de algo que nunca ouvi um filho único me dizer — e já conversei com vários deles em minha vida. A única coisa que nunca ouvi um filho único me dizer quando adulto é: "Quero ter apenas um filho". Todos eles querem ter mais de um filho.

Irmãos e irmãs são mais ou menos como quimioterapia — você não gosta muito deles no início, mas, em última análise, eles realmente são necessários. O fato de ter irmãos ensina um grande número de lições valiosas. Os filhos recebem um treinamento prático em termos de compartilhamento e rapidamente descobrem que não são o centro do universo (algo com que o "unigênito" pode ter dificuldades por toda a vida). Viver com alguém do sexo oposto na família os prepara para o casamento, pois os ensina a se relacionar com pessoas do outro sexo. Irmãos precisam aprender a cooperar e a brincar com alguém que não tem a idade deles.

A posição de cada filho na sequência de nascimento na família tem suas vantagens. O segundo filho se beneficia por ser precedido por um desbravador. O primogênito sempre acaba sendo o "rato de laboratório", o filho que serve de "campo de provas". Mesmo depois de ler este livro, você ainda vai exagerar com o primogênito; com o segundo filho, você vai relaxar um pouco e perceberá que a sujeira não é letal. O primogênito tem uma pessoa conveniente em quem pôr a culpa sempre que qualquer coisa quebrar ou desaparecer. O bebê da família recebe muita atenção e tem muitas pessoas para servi-lo. Os filhos do meio sofrem menos pressão e recebem menos atenção, e podem se desenvolver em seu próprio ritmo.

Muito embora ter uma família grande não seja politicamente correto nos dias de hoje, penso que existe uma bênção verdadeira em considerá-la. Filhos de famílias grandes nunca me disseram que não gostaram de ter crescido com diversos irmãos. É certo que eles admitem que, às vezes, era complicado. Talvez não houvesse muito dinheiro disponível, todo mundo — com exceção do primogênito — teve de usar roupas herdadas ou doadas, e eram raros os momentos desfrutados a sós com o papai ou a mamãe, mas as alegrias de ter muitos irmãos e irmãs superava a escassez de coisas. Em famílias grandes aprende-se a cooperar, a depender dos outros. É possível experimentar a alegria de trabalhar em equipe e de compartilhar, além da valiosa lição de que todo mundo precisa se envolver e ajudar para o bem comum.

Outra vantagem da família grande é que ela limita a quantidade de atividades das quais seus filhos podem participar. Hoje em dia, os pais ficam loucos, matriculando seus filhos em três ou quatro atividades por temporada, mas não é possível fazer isso com cinco, seis ou sete filhos. Dinheiro e tempo são fatores limitadores. Creio que isso seja uma bênção, pois as crianças precisam de um tempo de relaxamento em casa, não de correria na rua.

Muitos anos atrás, participei do programa de auditório de Geraldo Rivera, no qual o apresentador entrevistou famílias com dezenove, treze, onze e nove filhos. Todo mundo falou da alegria de ter uma família assim tão grande. Uma coisa que me chamou a atenção foi o grau de maturidade dos filhos menores, ao mesmo tempo que se mostravam bastante ingênuos em relação a assuntos típicos de crianças pequenas. Conversei, por exemplo, com o filho mais novo de uma grande família. O menino tinha apenas 4 anos, mas, se um avião passasse por cima de sua cabeça, ele era capaz de dizer que tipo de avião era aquele. Se alguém lhe mostrasse uma foto dos Beatles, ele sabia quem era o Paul e quem era o John.

Então, fiz uma pequena experiência. "Jason", disse eu, "você pode terminar a frase 'Batatinha quando nasce...'?".

Jason olhou para mim sem entender nada.

"Ciranda, cirandinha..."

Jason não fazia a menor ideia do que eu estava falando.

Um primogênito saberia todas essas coisas, mas o caçula de uma família grande normalmente perde essas parlendas infantis. Isso demonstra como seu próprio estilo de criação vai mudar com os últimos filhos.

Os filhos de famílias grandes admitiram livremente que houve tempos difíceis, e os pais confessaram que houve aquelas noites em que ambos olharam para o teto e perguntaram um ao outro: "Como é que vamos conseguir?".

Mas diga-me uma coisa: que casal já não disse isso pelo menos uma vez na vida? Os pais com apenas um filho também estão fadados a pensar isso em algum momento.

Numa época em que a família possui em média 2 filhos, percebo que falar sobre famílias grandes segue na direção contrária e, na melhor das hipóteses, parecerá estranho. Alguns podem me dizer: "Você é louco? Não sabe quanto custa criar uma família hoje?". Sim, eu sei. Eu e Sande temos cinco filhos com idades que variam de 10 a 30 anos. Sabemos do que estamos falando. Há coisas negativas, mas as positivas as superam em muito. Espero que você pelo menos considere algumas das bênçãos de criar uma família maior.

PAVIMENTANDO O CAMINHO

Para resumir: sim, será um pouco traumático para o seu primogênito quando você trouxer "o extraterrestre" para casa. É possível aliviar esse desconforto considerando-se atentamente como você fala ao seu primogênito sobre o nascimento iminente ou a adoção, preocupando-se de fato com ele quando o bebê chegar em casa pela primeira vez, além de incluí-lo no cuidado inicial do bebê.

Você não conseguirá remover totalmente a ansiedade do seu primogênito, mas não há problema nisso; creio que um pouco de tensão e alguma infelicidade sejam boas experiências para as crianças. É saudável para elas aprenderem como lidar com as dificuldades. Por causa disso, sou um grande defensor das famílias maiores. Os irmãos realmente nos ajudam a amadurecer e a nos desenvolver. Trazer outra criança para casa pode ser um "presente" que seu primogênito deseja devolver, mas, no final, pagará muitos dividendos ao seu futuro.

EPÍLOGO

Não há nada melhor que ser amado

Criar um primogênito — assim como qualquer filho — certamente dá muito trabalho. Todo pai admite isso. Mas criar filhos é também uma aventura excitante, cheia de curvas e voltas, risos (claro, algumas lágrimas também) e surpresas. Vale a pena? Como pais de cinco filhos, eu e Sande diríamos um sonoro "Sim!". Isso quer dizer que nunca nos cansamos? Certamente nos sentimos exaustos. Às vezes ficamos cansados até os ossos diante de todas as exigências de tempo e de energia. Houve noites em que olhamos para cima, ou um para o outro, e perguntamos: "Por que nós? O que fizemos para merecer isso?".

Mas entramos no jogo — e permanecemos no jogo — porque cremos no poder da criação de filhos. Portanto, deixe-me encerrar com uma história verdadeira que revela o tipo de poder que você tem como mãe, não apenas sobre seu primogênito, mas sobre todos os filhos que você cria — e sobre as gerações seguintes.

Ainda que você não seja fã de golfe (e eu particularmente não sou), penso que como mãe, será capaz de se envolver com esta história comovente.

O torneio U.S. Open é considerado pelos esportistas como aquele que possui as condições de jogo mais brutais que qualquer outro campeonato profissional de golfe. Também faz parte de um dos quatro grandes torneios, chamados de "Majors", as competições mais prestigiadas, nas quais carreiras são construídas ou destruídas.

Um dos jogadores que participava do circuito de 1998 era Lee Janzen, que não havia ganhado nenhum torneio em três anos. Nesse esporte, o campo é dividido ao meio nos dois dias de campeonato. Se a sua pontuação se concentrar na metade inferior, você vai para casa sem receber nada. Janzen fora eliminado em quatro das cinco participações anteriores no Open (perdera nas três primeiras, ganhara na quarta e perdera na quinta).

Na noite de sábado do torneio de 1998, certamente não parecia que a sequência de três anos sem vitórias de Janzen fosse acabar. Ele estava cinco tacadas atrás do primeiro lugar e, num campeonato como o U.S. Open, teria de jogar de maneira quase perfeita e esperar que os líderes cometessem erros. Todos os repórteres aceitavam quase como uma verdade bíblica que se Payne Stewart, no topo entre os líderes, jogasse simplesmente o básico no domingo, levaria o campeonato para casa.

Janzen não se ajudou muito ao começar sua última rodada aumentando para sete o número de tacadas atrás de Payne Stewart, tendo ainda quinze buracos pela frente. (No golfe, vence o jogador que fizer menos tacadas para colocar a bola nos dezoito buracos.) Janzen conseguiu diminuir a diferença no buraco seguinte, mas, no quinto buraco, sua tacada seguiu desastrosamente para a direita, e a bola foi lançada num cipreste gigantesco. As árvores desse circuito são bem grandes e, numa das jogadas mais azaradas, a bola de Janzen ficou presa nos galhos. Ele e seu ajudante procuraram intensamente, mas um fã confirmou que a bola não havia descido.

Deprimido, certo de que havia perdido o torneio, Janzen começou a andar de volta para o ponto da tacada inicial, ciente de que, com a penalidade, ficava oito tacadas atrás de Stewart, o que selava seu destino.

É interessante destacar que o U.S. Open sempre termina no Dia dos Pais (a não ser que haja um desempate na segunda-feira), e Janzen estava prestes a se tornar pai. Enquanto dava as costas, alguns fãs gritaram com entusiasmo. A bola havia finalmente caído da árvore! Depois de algumas jogadas, em vez de ficar duas tacadas abaixo da meta, ele conseguiu ficar uma tacada acima — e o jogo continuou, agora com uma diferença menor para o líder.

Enquanto Stewart titubeava, Janzen permanecia firme. No final, Stewart perdeu o torneio por deixar a bola a quinze centímetros de distância do 18º buraco. Janzen venceu.

É revigorante vencer qualquer torneio depois de uma seca de três anos, mas encerrar uma longa sequência de derrotas vencendo um dos Majors deve ser praticamente o melhor sentimento que um golfista pode ter. Mas certamente não foi o melhor sentimento do dia de Janzen. O melhor ainda estava por vir.

Na entrevista coletiva, um menino de 4 anos provocou comoção em proporções consideráveis. Ele havia ficado o dia inteiro com sua babá, e não existia nada que pudesse manter aquele menino longe de seu pai por mais tempo. Correndo para os braços do pai, Connor Janzen gritou: "Papai! Estou com saudades de você. Feliz Dia dos Pais!".

Como você acha que aquele pai se sentiu? Na frente de uma audiência mundial, Lee Janzen não conseguiu esconder as lágrimas. Sim, foi muito especial ganhar o U.S. Open — mas a vida tem coisas melhores até mesmo do que o maior sucesso profissional.

"Não há nada melhor do que ser amado", disse Janzen.[1]

E ele está certo.

Sim, pedi a você que fizesse sacrifícios. Haverá momentos em que você não saberá como conseguir o dinheiro, a energia emocional ou o tempo de que precisa para investir mais em seus filhos. Mas, quando cavar fundo, você surpreendentemente encontrará o que precisa. Você voará como águia; correrá e não ficará exausta; andará e não se cansará.[2]

E, quando isso acontecer, você vai deparar com aqueles raros momentos como Lee Janzen experimentou no U.S. Open, nos quais nem mesmo os maiores sucessos poderão ser comparados à emoção de ver seu menino ou sua menina correndo para os seus braços, gritando: "Eu amo você! Feliz Dia das Mães!".

Realmente não há nada melhor do que ser amado — especialmente por um filho.

APÊNDICE A

Brincadeiras para entreter o bebê

Para momentos de diversão entre mamãe e bebê, experimente estas cantigas tradicionais que farão seu filho sorrir e você também. Depois, invente suas próprias rimas e brincadeiras![1]

"DONA ARANHA"

É bem provável que você conheça esta:

A dona Aranha subiu pela parede.
Veio a chuva forte e a derrubou.
Já passou a chuva e o sol vai surgindo,
e a dona Aranha continua a subir.

Enquanto canta o primeiro verso, caminhe rapidamente com os dedos da ponta dos pés do bebê em direção ao peito dele. No segundo verso, quando a chuva derruba a aranha, passe as duas mãos pelo corpo do bebê, na direção oposta, do peito para os pés. Ele vai adorar. No terceiro verso, para mostrar o sol que vai surgindo, levante os braços, abra-os num gesto dramático e arregale os olhos. É bem provável que o bebê também arregale os olhos. No último verso, comece a caminhar pelo corpo do bebê novamente. Termine fazendo cócegas na barriga do bebê.

Brincadeiras desse tipo combinam três elementos que os bebês apreciam: contato visual, toque e canção.

"MARCHA, SOLDADO" E "PIRULITO QUE BATE, BATE"

Estas duas cantigas de roda podem ser juntadas e usadas como brincadeira, com movimentos vigorosos e entonações de voz diferentes e engraçadas.

Marcha, soldado (movimente as pernas do bebê como se ele estivesse marchando)
Cabeça de papel. (passe as mãos pela cabeça do bebê)
Se não marchar direito, (repita o movimento de marcha)
Vai preso no quartel. (segure o corpo do bebê com as duas mãos e movimente-o de um lado para o outro)

Pirulito que bate, bate, (movimente as mãos do bebê, fazendo-o bater palmas)
Pirulito que já bateu,
Quem gosta de mim é ela, (faça o bebê tocar você de forma ritmada)
Quem gosta dela sou eu (faça o bebê tocar em si mesmo de forma ritmada)

"O CRAVO BRIGOU COM A ROSA" E "SE ESTA RUA FOSSE MINHA"

Por terem melodias mais calmas, estas cantigas de roda são ótimas para a hora da soneca do bebê e podem ser cantadas em sequência, em tom delicado e suave.

O cravo brigou com a rosa
Debaixo de uma sacada;
O cravo saiu ferido,
E a rosa, despedaçada.

O cravo ficou doente,
A rosa foi visitar.
O cravo teve um desmaio,
A rosa pôs-se a chorar.

* * *

Nesta rua, nesta rua, tem um bosque
Que se chama, que se chama Solidão,

Dentro dele, dentro dele mora um anjo
Que roubou, que roubou meu coração.

Se eu roubei, se eu roubei seu coração,
É porque tu roubaste o meu também.
Se eu roubei, se eu roubei teu coração,
É porque eu te quero tanto bem.

Se esta rua, se esta rua fosse minha,
Eu mandava, eu mandava ladrilhar
Com pedrinhas, com pedrinhas de brilhante
Para o meu, para o meu amor passar.

"NÃO ATIRE O PAU NO GATO"

Esta é uma nova versão moderna para a antiga cantiga tradicional "Atirei o pau no gato". Temendo propagar a violência contra os animais, mesmo que a criança não tenha contexto para pensar em algo violento, muitos pais modernos abominam a antiga versão. De qualquer jeito, ambas são rimas divertidas que, cantadas de forma lenta e com gestos, farão seu bebê soltar gargalhadas.

Não atire o pau no ga-to-to,
Porque isso-sso-sso
Não se faz-faz-faz.
O gatinho-nho-nho
É nosso amigo-go
Não devemos (não devemos) maltratar
Os animais
Miau!!!

Para esta brincadeira, coloque o bebê reclinado, apoiado em almofadas ou travesseiros. No primeiro verso, movimente os braços do bebê para a frente e para trás, como se estivesse atirando algo. No segundo verso, faça o bebê bater palmas. No terceiro, cruze e descruze os braços do bebê na frente do peito. Ao cantar o quarto verso, faça o bebê tocar os próprios joelhos de forma ritmada. No quinto verso, faça o bebê tocar o próprio rosto e mostre-lhe uma expressão de espanto. Cante ou recite o sexto verso com bastante ênfase, segurando as mãos do bebê. Finalize com um "Miau!!!" bem sonoro, enquanto levanta os braços do bebê.

"A CANOA VIROU"

A canoa virou
Vou deixá-la virar
Foi por causa do(a) (nome do bebê)
Que não soube remar
Se eu fosse um peixinho
E soubesse nadar
Tirava o(a) (nome do bebê)
Do fundo do mar.

Para esta brincadeira, coloque o bebê de bruços com os braços estendidos para a frente. Nos dois primeiros versos, balance levemente o bebê de um lado para o outro sobre a barriga, como uma canoa na água. No terceiro e no quarto versos, mova os braços do bebê para cima e para baixo, como se estivesse remando. Nos versos seguintes, ponha o bebê no colo ainda de bruços e mova-o de um lado para o outro, como se estivesse nadando. Na última linha, faça um movimento circular para baixo e depois para cima, como que mergulhando o bebê e depois tirando-o do fundo do mar. Termine a brincadeira abraçando o bebê.

APÊNDICE B

Os dez mandamentos da criança para seus pais

1. Minhas mãos são pequenas; por favor, não esperem perfeição todas as vezes que eu arrumar a cama, fizer um desenho ou lançar uma bola. Minhas pernas são curtas; por favor, diminuam o passo para que eu possa andar com vocês.

2. Meus olhos não viram o mundo como você já viu; por favor, deixem-me explorá-lo com segurança; não me restrinjam desnecessariamente.

3. O trabalho de casa sempre estará lá. Eu serei assim pequeno por bem pouco tempo; por favor, reservem momentos para me explicar as coisas deste mundo maravilhoso, e façam isso com alegria.

4. Meus sentimentos são delicados; por favor, sejam sensíveis às minhas necessidades; não me critiquem o dia inteiro. (Vocês não gostariam de ser criticados por sua curiosidade.) Tratem-me como gostariam de ser tratados.

5. Sou um presente especial de Deus; por favor, valorizem-me como Deus deseja que façam, responsabilizando-me por meus atos, dando-me orientações para seguir na vida e disciplinando-me de maneira amorosa.

6. Para crescer, preciso do seu incentivo, não do seu elogio. Por favor, peguem leve nas críticas; lembre-se de que vocês podem criticar *as coisas* que faço sem criticar-me.

7. Por favor, deem a mim a liberdade de tomar decisões que me digam respeito. Permitam-me errar, de modo que eu possa aprender com meus erros.

8. Por favor, não consertem as coisas que faço. De alguma forma, isso dá a impressão de que meus esforços não estão à altura de suas expectativas. Sei que é difícil, mas, por favor, não me comparem com meu irmão ou minha irmã.

9. Por favor, não tenham medo de sair sem mim no final de semana. Os filhos precisam de férias de seus pais, assim como os pais precisam de férias de seus filhos. Além disso, essa é uma ótima maneira de mostrar a nós, filhos, que seu casamento é especial.

10. Por favor, levem-me à escola dominical e à igreja regularmente, dando um bom exemplo para que eu siga. Gosto de aprender mais sobre Deus.

Notas

Capítulo 3
[1] Salmos 139.14.

Capítulo 5
[1] Instituição sem fins lucrativos que promove atividades esportivas para pessoas com deficiência intelectual. (N. do T.)

[2] Organização norte-americana voltada para jovens e administrada pelo Ministério da Agricultura dos Estados Unidos. Tem o propósito de ajudar os jovens a alcançar seu pleno potencial de desenvolvimento nos "quatro Hs" dos termos em inglês: *head* (mente), *heart* (coração), *hands* (mãos) e *health* (saúde). Promove a cidadania, a liderança e a responsabilidade, bem como habilidades pessoais. (N. do T.)

[3] Baseado em "A Clean Start", de S. L. PRICE. *Sports Illustrated*, 28 de jan. de 2002, p. 58ss.

Capítulo 6
[1] COUNCIL OF ECONOMIC ADVISORS, "Families and the Labor Market, 1969-1999: Analyzing the 'Time Crunch'", maio de 1999, p. 13; Robert PUTNAM e Christine Goss, "It's About Time", *The San Francisco Chronicle*, 24 de set. de 2000. Ambos os textos são citados por Brian ROBERTSON em "Why

Daycare Subsidies Do Not Help Parents or Kids", publicado pelo Family Research Council.

[2] "Study: Child's Skills Slowed If Mom Returns to Work Early", *Associated Press*, 18 de jul. de 2002.

Capítulo 10
[1] Veja em Efésios 6.1-3 um mandamento para os pais, acompanhado de uma maravilhosa promessa.

Capítulo 11
[1] Citado em Carolyn JABS, "How to Raise a Sexually Healthy Child", *Redbook*, jun. de 2001, p. 168.

Capítulo 12
[1] Dupla de cantores norte-americanos cuja marca registrada era discutir entre si quando faziam apresentações públicas. (N. do T.)

Epílogo
[1] Baseado num relato apresentado por John FEINSTEIN em *The Majors*. New York: Back Bay Books, 2000, p. 318.

[2] Isaías 40.31.

Apêndice A
[1] Uma vez que as rimas infantis fazem parte de uma tradição oral sujeita a variações, as versões aqui indicadas podem ser diferentes das que você encontrará em outros materiais ou das cantigas que você já usa com sua família.

Bibliografia

COLE, Babette. *Mommy Laid an Egg*. San Francisco: Chronicle Books, 1996.
HUNTER, Brenda. *Home by Choice: Raising Emotionally Secure Children in an Insecure World*. Colorado Springs: Multnomah Books, 2006.
LEMAN, Kevin. *Faça a cabeça de seus filhos — sem perder a sua*. Rio de Janeiro: Alta Books, 2003.
_____. *Making Sense of the Men in Your Life*. Nashville: Thomas Nelson, 2001.
_____. *What a Difference a Daddy Makes*. Nashville: Thomas Nelson, 2001.
WALKER, Morris. *Steve Martin: The Magic Years*. New York: S.P.I. Books, 2001.

Conheça outras obras de

Kevin Leman

- Acabe com o estresse antes que ele acabe com você
- A diferença que a mãe faz
- Direto ao ponto
- É seu filho, não um hamster
- Entre lençóis
- Mais velho, do meio ou caçula
- Meu filho do coração
- Novo casamento... novos filhos
- O que as lembranças de infância revelam sobre você
- O sexo começa na cozinha
- Sete segredos que ele nunca vai contar pra você
- Transforme a si mesmo até sexta
- Transforme seu adolescente até sexta
- Transforme seu filho até sexta
- Transforme seu marido até sexta
- Transforme sua família em cinco dias

Compartilhe suas impressões de leitura escrevendo para:
opiniao-do-leitor@mundocristao.com.br
Acesse nosso *site*: www.mundocristao.com.br

Diagramação: Sonia Peticov
Preparação: Luciana Chagas
Revisão: Josemar de Souza Pinto
Gráfica: Forma Certa
Fonte: AGaramond Pro
Papel: Off White 80 g/m² (miolo)
Cartão 250 g/m² (capa)